Dis, t'en souviendras-tu ?

DU MÊME AUTEUR

La Lanterne des morts, Fayard, 2017.
Une femme, Flammarion, 2016.
Voulez-vous partager ma maison ?, Fayard, 2016.
Au plaisir d'aimer, Flammarion, 2015.
Belle Arrière-Grand-Mère, Fayard, 2014.
Chuuut !, Robert Laffont, 2013 ; Pocket, 2014.
N'ayez pas peur, nous sommes là, Flammarion, 2011.
Sois un homme, papa, Fayard, 2010.
Loup, y es-tu ?, Robert Laffont, 2009 ; Pocket, 2011.
Malek : une histoire vraie, Fayard, 2008 ; Le Livre de Poche, 2010.
Un amour de déraison, Éditions du Rocher, 2008 ; Pocket, 2009.
Allez, France, Robert Laffont, 2007 ; Pocket, 2008.
Laisse-moi te dire, Fayard, 2006 ; Le Livre de Poche, 2008.
Je serai la princesse du château, Éditions du Rocher, 2006 ; Pocket, 2007.
Le Talisman (*La Chaloupe*, vol. 1), Robert Laffont, 2005 ; Pocket, 2006.
L'Aventurine (*La Chaloupe*, vol. 2), Robert Laffont, 2005 ; Pocket, 2006.
Allô, Babou, viens vite... On a besoin de toi ! (*Belle-grand-mère*, vol. 4), Fayard, 2004 ; Le Livre de Poche, 2008.
Histoire d'amour, Robert Laffont, 2003 ; Pocket, 2004.
Recherche grand-mère désespérément, Fayard, 2002 ; Le Livre de Poche, 2009.
Une femme en blanc, Éditions de la Seine, 2002 ; Robert Laffont, 1997 ; Pocket, 2011.
Priez pour Petit Paul, Fayard, 2001 ; Le Livre de Poche, 2008.

Suite en fin d'ouvrage

Janine Boissard

Dis, t'en souviendras-tu ?

roman

PLON
www.plon.fr

© Éditions Plon, un département d'Edi8, 2018
12, avenue d'Italie
75013 Paris
Tél. : 01 44 16 09 00
Fax : 01 44 16 09 01
www.plon.fr

Mise en pages : Facompo (Lisieux)

Dépôt légal : mars 2018

ISBN : 978-2-259-26004-6

Remerciements

Merci au docteur Delphine Le Moullec, grâce à laquelle j'ai plongé dans le passionnant problème de l'amnésie post-traumatique. Et aussi à mon médecin et complice depuis bientôt trente ans, Jean-Marc Emmanuelli.

À mes merveilleux amis : Monique Pawlowski, Éliane Guillonnet et Laurent Vogler, qui m'ont permis de découvrir la beauté de Grasse et de ses environs.

Et enfin, merci à Allan Munez, à l'aide duquel j'ai pu camper mon cher adjudant Fortin.

PREMIÈRE PARTIE

L'héliotrope, pierre de sang

1

Sur une feuille de papier pliée en quatre, cachée tout au fond de sa poche, elle a écrit ses nom et prénom : Aude Saint Georges, son âge, 23 ans, et son adresse à Grasse. « C'est complètement ridicule, lui a lancé sa mère, tu ferais mieux de prendre ta carte d'identité, comme tout le monde. » Mais imaginez qu'elle la perde ou qu'on la lui vole ? Et, de toute façon, quand on a vécu cette horreur, se retrouver un jour dans un endroit inconnu, attachée à un lit, perdue dans le brouillard, on se rassure comme on peut, ridicule ou pas. Et ce bout de papier qu'elle pouvait toucher à tout instant, la rassurait comme le minuscule clignotant d'un SOS.

Aujourd'hui, mardi de fin avril, elle va rencontrer pour la première fois le docteur Armand, psychiatre spécialisé dans la perte de mémoire. C'est Mathilde, orthophoniste au centre hospitalier de Grasse, d'où elle vient de sortir, qui le lui a recommandé. Il l'aidera à accomplir ses premiers pas à la recherche de ses souvenirs : « Vous verrez, Aude, il est très compétent, très humain aussi. Je suis certaine que vous vous entendrez bien. » S'entendre... s'écouter... si seulement !

Sa mère a tenu à l'accompagner jusqu'à la porte de l'immeuble, rue de l'Oratoire, donnant sur la place des Aires, où le médecin exerce. « Je t'attends ici », a-t-elle dit en désignant du doigt la terrasse d'un café proche. Et elle l'a embrassée fort, comme si elle partait en voyage.

Aude a monté les deux étages, la main sur la rampe, le cœur battant. Au-dessus de la sonnette, une petite plaque dorée indiquait : « Docteur Étienne Armand ». Étienne ? Elle ne savait pas. Elle a appuyé sur le bouton – un sésame ? – et la porte s'est ouverte.

— Aude Saint Georges ? Venez.

Pas « Madame », pas « Entrez » : Venez ! Et c'était rassurant, ça ouvrait sur quelque chose, elle n'aurait su dire quoi : une promesse ?

Elle avait pensé qu'il la recevrait dans un bureau un peu sombre, avec juste une lampe allumée sur un meuble. Il lui désignerait un divan sur lequel elle s'étendrait, lui assis dans un fauteuil, derrière elle, un stylo à la main, attendant qu'elle se livre. Et elle avait paniqué car elle n'avait rien à livrer, seulement des bribes de souvenirs, quelques flashes aussitôt éteints, une sensation de noyade.

Mais la pièce était vaste, éclairée par une large fenêtre au fin voilage derrière lequel on pouvait distinguer, serrées les unes contre les autres, comme de coquettes jeunes filles, les maisons aux murs blancs, ocre, parfois rouges de la ville.

— Je vous en prie, asseyez-vous.

Elle a choisi sans hésiter un siège à l'écart des autres, dans un coin moins éclairé – protégé ? Et elle s'est assise, son sac cabas contre sa poitrine, entouré de ses bras, comme autrefois avec des coussins : « Tes doudous », se moquait son frère qui, lui, n'avait peur de rien. Le docteur Armand a tiré un fauteuil près du sien, pas trop près quand même, pas à la toucher. Il s'est penché vers elle.

— Mathilde m'a raconté ce qui vous est arrivé. Je suis là pour vous aider.

Ce qui lui est arrivé ?

Un jour ? Une nuit ? Elle avait ouvert les yeux sur un paysage tout blanc, le plafond, les murs, le lit sur lequel elle était attachée, le bras relié à des tuyaux. Elle avait voulu crier, appeler à l'aide, mais aucun son ne sortait de sa bouche, et c'est un autre cri qui avait percé le silence, celui de sa mère, comme elle l'apprendrait plus tard.

« Venez vite, elle a ouvert les yeux, elle s'est réveillée ! »

Plusieurs visages se penchaient sur le sien, une main serrait sa main, des mots lui parvenaient : sécurité, abri, hôpital... Elle était retombée dans sa nuit.

Plus tard, quand ? À présent, elle reconnaissait sa mère et savait pourquoi elle était là : des promeneurs l'avaient trouvée, inanimée, les épaules et le cou couverts d'hématomes, près de Gourdon, un village non loin de Grasse. Ils avaient appelé les pompiers qui l'avaient conduite aux urgences de l'hôpital. « N'ayez pas peur, madame, nous sommes là. »

Un autre jour, elle pouvait désormais s'asseoir dans un fauteuil et elle s'alimentait normalement, un homme en blanc était venu lui poser des questions en débutant par les faciles : son prénom, son nom, son âge. Et où habitez-vous ? Quelle ville ? Quelle rue ? Et à quelle école alliez-vous enfant ? Toutes sortes d'interrogations, et quand elle avait bon, le médecin applaudissait et sa mère pleurait. On prononçait autour d'elle des mots savants : « période rétrograde », « ictus amnésique » dû au choc psychologique suivant une agression. « Ictus »,

13

au début, elle confondait avec « rictus », ce qui faisait rire l'aide-soignante. La bonne nouvelle ? L'IRM cérébrale n'avait fait apparaître aucune lésion dans son cerveau : à plus ou moins longue échéance, elle devrait retrouver la totalité de sa mémoire.

« Je suis là pour vous aider », vient de dire le docteur Armand, et elle fait un gros effort pour ne pas pleurer.

— Vous savez, j'ai très peur, parvient-elle à articuler.

— Rien de plus normal. Vous allez devoir, en quelque sorte, refaire connaissance avec vous-même, retrouver une partie de votre passé. Ce ne sera pas chose facile, le chemin risque d'être parfois douloureux. Mais sachez que je le ferai avec vous, et peut-être en reviendrez-vous plus forte.

La main d'Aude va à sa poche, au papier SOS. Elle s'efforce de respirer à fond, comme Mathilde le lui a appris, en détendant une à une chaque partie de son corps, la visualisant. Respirer de la pointe de ses orteils jusqu'au sommet de son crâne.

— Savez-vous que mon mari a disparu ? demande-t-elle avec effort.

— Mathilde m'en a parlé.

Près de l'endroit où elle gisait, on avait retrouvé la voiture de celui-ci, clé sur le contact, portières ouvertes, et nul ne l'avait revu depuis.

Agressé lui aussi ? Enlevé ? Des gendarmes, un homme et une femme, étaient venus interroger Aude à l'hôpital, espérant qu'elle se souviendrait, ne serait-ce que d'un détail qui pourrait les aider, les mettre sur une piste.

— Mais rien, constate-t-elle avec désespoir, je ne me souviens de rien. Quand j'essaie, c'est comme si je tombais au fond d'un puits.

Elle s'efforce de rire :

— Quand les gendarmes m'ont demandé si je m'entendais bien avec mon mari, s'il nous arrivait de nous disputer, j'ai eu envie de les étrangler.

— Il ne sert à rien de forcer votre mémoire, observe le médecin. Vous risquez d'obtenir l'effet contraire : la bloquer davantage. Laissez à vos souvenirs le temps de revenir à leur rythme.

Il désigne sur la table basse un plateau avec une bouteille d'eau et deux verres.

— Avez-vous soif ?

— Non merci.

Alors qu'elle a la bouche comme du carton, elle a refusé avec force. Il lui semble qu'elle n'a pas le droit d'accepter, qu'elle ne mérite pas de boire.

— Vous habitez chez votre mère, n'est-ce pas ?

— Depuis mon retour de l'hôpital. D'ailleurs, elle m'a accompagnée. Elle m'attend au café.

Le docteur Armand sourit. Il approuve ? Elle regarde le réveil sur le bureau : presque 15 h 30, déjà ?

— Que penseriez-vous de nous rencontrer deux fois par semaine ? propose-t-il.

Elle incline la tête. Il se lève, prend une carte et un stylo sur son bureau :

— Mardi et vendredi, même heure ?

— Très bien.

Il écrit, puis lui tend la carte qui rejoint, dans la poche d'Aude, la feuille pliée en quatre. Elle se lève à regret, elle n'a pas envie de partir.

Arrivée à la porte, il lui serre la main et elle comprend pourquoi son « Venez », à l'arrivée, lui a fait du bien.

15

Dis, t'en souviendras-tu ?

Il rejoignait le « Viens » de son père à la petite fille, lorsqu'il enfermait sa main dans la sienne pour l'emmener se promener dans des endroits pleins de magie et de mystère où elle ne craignait rien.

2

— Alors ? a lancé fiévreusement sa mère, à peine Aude sortie de l'immeuble du médecin.

Elle avait dû payer sa consommation à l'avance pour être là plus vite, l'entendre immédiatement. Et ce « Alors ? » goulu, anxieux, aurait pu, d'une certaine façon, résumer leur relation : d'un côté la demande, parfois excessive, de l'autre la retenue, souvent méfiante.

— S'il te plaît, maman, une minute !

Elles ont pris le chemin de la maison. « Vous vivez chez votre mère ? », lui avait demandé le docteur Armand et, répondant oui, Aude s'était sentie minable : revenir chez maman à 23 ans ! Elle avait évité de lui confier que celle-ci avait tout fait pour la dissuader de s'adresser à lui : « Un psy, à quoi bon, puisque je suis là pour t'aider ? »

De la rue de l'Oratoire à la leur, rue Kalin – avec un K –, elles n'en avaient que pour une quinzaine de minutes à pied. Dans l'air encore frais d'avril passaient des promesses de printemps ; bientôt mai, son mois préféré, celui du renouveau où tout est possible, toutes les éclosions.

Un petit groupe de touristes à la queue leu leu, brandissant des tablettes, serpentait dans une étroite ruelle. Grasse n'est pas une ville, c'est un labyrinthe, une promenade en colimaçon où se cultive le secret entre deux fontaines, deux clochers.

— Pas trop fatiguée ? s'est inquiétée sa mère.

— Ça va.

Pressée d'être rentrée pour noter les mots prononcés par le médecin, craignant de les oublier.

Et déjà apparaissait le toit de leur immeuble, elles arrivaient. Le hall était frais, par la porte de la cour restée ouverte, Aude a pu apercevoir « la Flèche », son vieux vélo auquel elle avait donné le nom d'un coureur du Tour de France. Elle s'est promis de le prendre vendredi pour se rendre à son second rendez-vous.

Au deuxième étage, l'appartement fleurait bon « la maison » : un bien-être, un soulagement, le lieu où l'on se tutoie. Elle s'est débarrassée de sa veste et a rejoint sa mère, occupée à mettre la bouilloire en route à la cuisine. Elle se sentait vaguement écœurée, et une migraine pointait. Elle a bu un grand verre d'eau en pensant à celui qu'elle avait refusé chez le médecin et s'est installée à la table où deux tasses étaient préparées ainsi que la boîte à biscuits. Elle a pris les devants :

— Alors que je m'attendais à rencontrer un vieux monsieur, le docteur Armand doit avoir dans la quarantaine. Aujourd'hui, nous avons fait connaissance. Je lui ai parlé de mes frayeurs, il m'a rassurée. Il est convaincu que, peu à peu, l'ensemble de ma mémoire me reviendra.

— Et pour te raconter ces nouveautés, il t'a pris combien ?

— Maman, c'est mon affaire et tu sais que j'ai de quoi.

Le médecin lui avait indiqué qu'elle devrait régler chaque séance à la fin de celle-ci : une façon de se prendre en charge. Dans son malheur, Aude avait de la chance : son beau-père, figure illustre de la ville, avait appelé sa banque de Sydney – où il vivait – pour lui demander de continuer à alimenter son compte afin de lui éviter tout souci financier.

— Et tu le revois quand, ton as ?

— Vendredi. Et rassure-toi, tu n'auras pas à sécher ton boulot pour m'accompagner, je prendrai mon vélo.

— Ton vélo ? Tu as le droit, au moins ?

— Avec casque et vitesse réduite, la Flèche est d'accord.

Le thé versé dans les tasses, thé vert, un sachet pour deux, Aude a puisé une madeleine dans la boîte : le gâteau préféré de son père. Inutile de forcer sa mémoire pour le revoir dans cette cuisine, partageant avec elle le petit déjeuner avant de la conduire à l'école. Pour sentir l'odeur du chocolat chaud et la saveur rousse de la brioche dans sa bouche. Avant qu'il ne lui demande la permission de divorcer.

Ce jour-là – elle avait 10 ans –, il l'avait emmenée se promener au Jardin des Plantes, tout près du musée où il travaillait. Assis contre un arbre, elle entre ses genoux, calée à sa poitrine, il avait commencé par lui dire combien elle avait de la chance d'avoir une maman aussi belle, intelligente, brillante. Et Aude l'avait vu venir avec ses gros sabots de papa maladroit et embarrassé. Oui, Marie-Ange, sa mère, était tout ça, mais justement, c'était la cause de leur mésentente car elle lui reprochait de ne pas être, lui, un battant et de se satisfaire de son emploi au musée Fragonard où il était payé des clopinettes alors qu'avec ses diplômes il aurait pu gagner des mille et des cents en travaillant chez un commissaire-priseur de leur connaissance. Résultat, à la maison, on passait du silence de plomb aux cris et aux portes claquées.

— Alors, si ma petite fille chérie le veut bien, je vivrai sous un autre toit, mais pas loin, promis. On se verra autant que tu voudras, je continuerai à te conduire à l'école et à t'emmener à la montagne l'hiver ; ta maman est d'accord.

— Et Basile, il est d'accord aussi ?

Basile, son frère aîné.

— Oui. Et lui viendra vivre sous le même toit que moi.

Un chacun. Et Aude avait accepté sans hésitation parce que, comme ça, elle n'aurait plus peur, la nuit, que son papa claque la porte une fois pour toutes, comme celui de Monique, sa meilleure amie, qui n'était jamais revenu. Et elle avait été tout à fait rassurée quand il lui avait raconté que lorsqu'elle était née – une petite crevette rose –, Marie-Ange et lui avaient été les parents les plus heureux du monde et que le quartier n'était pas près d'oublier la fête maousse organisée pour son baptême.

Aude mord dans une madeleine. Sa mère, qui répondait à un appel sur son portable, revient s'asseoir près d'elle.

— C'était ton frère. Tu te rappelles qu'il est en Égypte, au moins ? Il voulait avoir de tes nouvelles. Il t'embrasse très fort.

Basile, reporter à *Nice-Matin*.

— Mais pourquoi tu ne me l'as pas passé ?

— C'est la plaie pour s'entendre et il préfère te parler de vive voix. Il revient bientôt. Ton Rémi est avec lui.

« Son » Rémi ? Sous la réflexion, Aude fronce le sourcil.

— Attends, ne me dis pas que tu ne te souviens pas de lui ? Son meilleur copain, ton ex-soupirant...

Non. Rien.

3

Aude a refermé sur elle la porte de sa chambre : enfin ! Elle a sorti de sa poche la carte du docteur Armand et elle a promené son doigt sur les lettres gravées : nom, prénom, téléphone. Et si elle écrivait ses propres coordonnées au dos de la carte ? Ainsi, au cas où elle se trouverait de nouveau perdue, sans mémoire, incapable de s'exprimer, ceux qui la découvriraient auraient peut-être l'idée de s'adresser à lui ?

Elle a revu le regard attentif, empathique du médecin, et elle a entendu sa voix : « Je vous accompagnerai. » Étienne Armand, deux prénoms, comme autrefois pour les enfants abandonnés au seuil des églises, auxquels on donnait pour patron le saint du jour. « Il t'a pris combien ? » La seule chose que sa mère avait trouvé à lui dire ! Il n'avait pas pris mais donné. Et si Aude détestait parler argent, c'était sans doute que Marie-Ange en parlait trop. Dans l'espoir de compter aux yeux de la bonne société qui l'avait si longtemps rejetée ?

Elle a suspendu son sac au dossier d'une chaise. Il avait été retrouvé dans la voiture vide, fermé, intact. Et alors que ses vêtements avaient été gardés pour analyses, on le lui avait rendu. Puis elle s'est assise au bord de son lit et elle a sorti de sa table de nuit le carnet à spirales qu'elle avait acheté à sa sortie d'hôpital. Elle a rabattu la couverture et, sur la première page, elle a inscrit la date au feutre bleu – sa couleur préférée –, dessous « Étienne Armand, première rencontre » et, encore dessous, en s'appliquant, les mots qu'elle avait répétés tout au long du trajet pour ne pas les oublier : « faire connaissance avec soi-même », « renouer », « revenir plus fort ».

Elle a refermé le carnet et l'a remis dans le tiroir avec le feutre. Puis seulement elle s'est autorisée à regarder « Le Désert des Tartares ». Elle avait baptisé, du nom du fameux roman de Dino Buzzati, le pan de mur que sa mère, croyant bien faire, avait entièrement tapissé de photos : Aude au berceau, baptême d'Aude, Aude à l'école, Aude jeune fille, Aude mariée. Qu'en penserait le psy, lui qui lui avait recommandé de ne pas se presser, de ne pas forcer sa mémoire ? C'était comme une gifle à celle-ci.

Parmi les photos, une plus grande représentait une élégante maison blanche à colonnades, entourée d'un vaste jardin : la maison de son mari, la sienne ? Au-dessus, sa mère avait marqué son nom : « L'Héliotrope », et elle ne pouvait pas la regarder sans malaise. Était-ce parce que cette fleur verte, tachetée de rouge, était appelée autrefois « pierre de sang » ? Ou « pierre des martyrs » ? Y avait-elle vraiment vécu durant plus de deux ans ? Laquelle de ces nombreuses fenêtres, alignées sur la façade, était-elle celle de sa chambre ? Elle a tenté de s'y imaginer, l'ouvrant le matin, admirant le jardin, interrogeant le ciel, suivant le fil argenté d'un avion dans le bleu. En vain.

« Aude mariée. » Son regard est revenu au couple, posant pour les photographes, sur le parvis de la cathédrale Notre-Dame-du-Puy, elle en robe blanche, lui en jaquette : aucun souvenir ! Pas plus de la grande journée, celle qui, dit-on, marque une vie. Aucune marque ! Ses yeux sont tombés sur la preuve que la cérémonie avait bien eu lieu : son alliance. Elle a eu du mal à la retirer : aurait-elle grossi, à ne rien faire ? À l'intérieur, deux prénoms étaient gravés, dont le sien. Une date. Et ça l'a rassurée, comme le papier SOS au fond de sa poche.

À l'hôpital, on lui avait expliqué qu'il y avait différentes sortes de souvenirs. Par exemple les « souvenirs de souvenirs », ces moments, ces instants, bons ou mauvais, que l'on vous a si souvent racontés que vous êtes certain de les avoir vécus. Et, à ceux-là, tout le monde avait droit. Il y avait aussi ce qu'on appelait la « confabulation », dont étaient victimes ceux qui souffraient d'amnésie, qui se sentaient obligés d'inventer des choses sur leur passé pour tenter de combler les trous. Sur ce mur, pas de « confabulation », du réel, du costaud, auquel on pouvait se fier.

Aude est revenue à la photo sur le parvis de la cathédrale. Derrière elle, sous une capeline fleurie, style « Scarlett O'Hara », radieuse, triomphante, sa mère, Marie-Ange. Que de fois l'avait-elle entendue dire que ce jour avait été l'un des plus beaux de sa vie ! Se plaisant à ajouter qu'il était dû à un miracle.

Le miracle s'était produit au musée Fragonard où travaillait son père en tant qu'adjoint au conservateur. Passionné d'art, diplômé de l'Institut national de peinture, il avait trouvé dans ce poste un couronnement à sa carrière et se vantait d'œuvrer au service de Jean-Baptiste, l'enfant le plus célèbre de la ville dont le bâtiment portait le nom. Lorsque Aude lui rendait visite, plutôt que de rester dans son bureau, il l'emmenait dans l'une ou l'autre salle

24

et, tout en devisant, ils se promenaient dans les paysages du célèbre peintre.

Ce matin-là, elle était venue le voir avec une demande précise. À 19 ans, son bac en poche, n'étant attirée par rien de particulier, elle ne s'était pas, comme la plupart de ses camarades, inscrite à la faculté de Nice. Elle avait trouvé un petit boulot à La Maison du chocolat, spécialisée dans la fève de cacao, l'une des richesses de Grasse, mais elle ne s'y plaisait pas trop.

— Mon petit papa, je suis venue te demander si tu ne pourrais pas me trouver un travail ici.

Il avait ouvert de grands yeux.

— Tu veux dire... au musée ?

— J'adorerais.

— Et ta mère, tu penses qu'elle adorera aussi ?

— Tu connais maman. Son seul plan : me voir faire un beau mariage avec un monsieur plein de sous.

Et ils avaient ri.

Et, pile à cet instant, un homme grand, à l'allure aristocratique, était entré dans la salle. Son regard en avait fait le tour. Il s'était arrêté sur Hervé et, sans hésiter, négligeant les autres visiteurs, il s'était dirigé droit vers eux.

— Hervé ! Quel plaisir de vous revoir. Depuis le temps...

Puis il s'était tourné vers Aude qui se tenait discrètement à l'écart :

— Ne me dites pas que cette si jolie personne est votre fille.

— Il semblerait que si, avait répondu son père d'un ton faussement contrit.

Une année plus tard, Emerick Saint Georges, 35 ans, parfumeur, un « grand nez », épousait Aude Delcourt, 20 ans, à la cathédrale Notre-Dame-du-Puy.

Elle remet son alliance : souvenir de souvenir. Si la fameuse rencontre chez Jean-Baptiste Fragonard lui est revenue avec tant de précision, c'est que sa mère la lui a racontée un bon million de fois, s'attardant sur la « si jolie personne ». Aude grimace : suffisamment jolie pour conquérir d'emblée celui que l'on disait convoité par toutes ? Voilà qu'elle en doute.

Elle se lève, se penche sur « Le Désert des Tartares », scrute le visage de celle qui lui paraît être une petite sœur lointaine. Que reflète-t-il ? La joie ? L'amour ? L'incrédulité ? Qui était-elle ? Aude, qui es-tu ?

Soudain, elle se sent si fatiguée, elle a tellement envie de dormir. Elle sombre.

4

Jeudi matin, veille de sa deuxième rencontre avec le docteur Armand, Aude a appelé son père : quand pouvaient-ils se voir, c'était plutôt urgent ? Il lui a proposé 16 h 30, chez la Princesse Pauline, l'un de leurs lieux préférés, dans les jardins du musée de la Parfumerie.

— Ton supérieur ne t'en voudra pas d'écourter ta journée ? a-t-elle tenté de plaisanter.

— Mon supérieur, c'est toi, l'a-t-il coupée.

Elle ne l'avait pas revu depuis sa sortie d'hôpital où il lui avait rendu plusieurs fois visite. Lui, ne demandait jamais « Alors ? », il se contentait de s'asseoir près de son lit et de tenir sa main. Elle lui avait présenté Mathilde, ils avaient sympathisé et, contrairement à sa mère, il s'était montré favorable à ce qu'elle consulte un psychiatre.

À l'heure dite, ils se sont retrouvés près de la voluptueuse sculpture de la sœur de Napoléon sur sa couche de marbre blanc. Après avoir serré longuement sa fille contre lui, il l'a prise à bout de bras pour la « regarder dans les coins », et elle a eu envie de lui demander s'il la trouvait jolie, même si, venant d'un père, sa réponse compterait forcément pour du beurre : « la plus jolie petite fille du monde »... Ils se sont assis sur un banc, au milieu des orangers.

— Papa, j'aimerais que tu me parles de mon mari, a-t-elle lancé de but en blanc.

Et, comme il restait interdit, Aude a ajouté, en une pitoyable tentative d'humour :

— N'oublie pas que c'est toi qui nous as réunis.

— Et que veux-tu savoir ?

— Tout ! Sa vie, son œuvre et aussi pourquoi il s'est intéressé à ma modeste personne.

— Tu n'en as vraiment aucun souvenir ?

— C'est à partir de lui, de nous, que ça bloque. Sur mon enfance, mon adolescence, tout me revient à peu près. Après, plus rien ou presque.

— Si tu y tiens...

Il a passé son bras autour de ses épaules, elle a senti qu'il souffrait pour elle et elle a murmuré « Merci ». L'a-t-il entendue ?

— Laisse-moi d'abord te dire deux mots de son père, le « roi Édouard », comme tous l'appelaient ici, a-t-il commencé. Le fondateur de la maison « Saint Georges », un grand monsieur aimé et estimé de tous. C'est lui qui avait eu la belle idée de donner à ses parfums le nom de pierres précieuses : jade, améthyste, rubis, une mine... Sa décision de s'installer chez sa fille aînée, en Australie, dès que son fils avait été en mesure de prendre sa suite, avait provoqué une sorte de séisme dans la ville, certains n'avaient pas compris, ils avaient parlé de fuite.

Le « roi Édouard » qu'Aude avait jamais rencontré, celui-ci n'ayant pas assisté au mariage, se contentant d'envoyer un gros chèque.

— De l'avis de tous, ton mari était également très brillant : un « grand nez », a repris son père, l'inventeur de la fameuse fragrance « Topaze, l'eau bleue », qui l'avait fait connaître du monde entier.

Il s'est interrompu :

— Mais voilà que j'en parle au passé alors que nous nous devons de croire à son retour, n'est-ce pas ?

Aude a acquiescé, même si chaque jour rendait ce retour plus improbable.

— Dis-moi, papa, comment l'homme brillant, le grand inventeur que tu viens de décrire a-t-il pu s'éprendre d'une débutante comme moi ? J'ai du mal à y croire.

— Mais tu viens d'en donner toi-même la raison : une « débutante ». Il t'a aimée pour ta pureté, ton innocence, ta candeur : une rareté, crois-moi, dans le monde des affaires.

Sa pureté... vierge à 19 ans. Non par vertu mais pour n'avoir pas rencontré celui qui lui aurait donné l'envie de sauter le pas.

Un homme, capuche rabattue sur le visage, tatouages couvrant mains et poignets, est passé. Machinalement, elle a porté les mains à son cou, là où se trouvaient des traces d'ecchymoses lorsqu'on l'avait trouvée. Elle évitait de penser à celui qui lui avait volé sa mémoire et, très probablement, disait-on, enlevé son mari.

— Et tu as approuvé notre mariage ?

Un rire a échappé à son père.

— Figure-toi que tu ne m'as pas demandé mon avis. Et, mis à part la différence d'âge – qui ne semblait pas te poser de problème –, je n'y trouvais rien à redire.

— Quand les gendarmes sont venus m'interroger à l'hôpital, ils m'ont demandé si je m'entendais bien avec lui. S'il nous arrivait de nous disputer. Ça m'a choquée.

— N'oublie pas qu'en cas de disparition, ou plus grave, les enquêteurs privilégient toujours la piste familiale.

— Tu ne m'as pas répondu, papa.

— Eh bien, je suppose qu'il vous arrivait de vous disputer... Comme à tout bon couple.

Une lassitude s'est emparée d'Aude. Elle avait l'impression de creuser, creuser, sans jamais atteindre la source. Pas la moindre goutte, le désert.

— Penses-tu que nous étions heureux ? a-t-elle insisté.

— Mais... J'imagine.

— Tu as hésité.

Il a pris quelques secondes pour répondre.

— C'est que ton mari n'avait pas la réputation d'être un homme facile. À sa décharge, il avait subi beaucoup d'épreuves, dont la mort de sa première femme : Béatrice.

— Morte de quoi ?

— On a dit qu'elle était dépressive : elle aurait mis fin à ses jours. Ajoutes-y le décès prématuré de sa mère, Isabelle. Et aujourd'hui son père en Australie. Cela donne un homme bien seul ! Jusqu'à toi, a-t-il ajouté avec gentillesse.

Deux jeunes femmes venaient dans leur direction, cheveux longs, hauts talons, discutant avec animation. L'une d'elles arborait avec fierté un gros ventre moulé dans un tee-shirt sur lequel les mots : « Oui, j'attends ! » s'affichaient en lettres de couleur. Autrefois, on cachait sa grossesse, aujourd'hui, on la revendiquait. Alors qu'elle passait devant le banc, remarquant le regard d'Aude sur elle, elle lui a souri.

Comme une lame a transpercé son cœur. Sous la douleur, elle a fermé les yeux.

— Ça ne va pas ? s'est inquiété son père.

— Si, si, a-t-elle murmuré.

Il a pris sa main, elle a respiré à fond : c'était passé.

— Que dirais-tu d'en rester là ? Il me semble t'en avoir raconté pas mal. Nous pourrions reprendre une autre fois, a-t-il proposé.

— Juste une dernière question, papa, L'Héliotrope, notre maison, tu y venais souvent ? Et maman ?

— Aussi souvent que tu nous faisais l'honneur de nous inviter. Inutile de te dire que ta mère en était folle : une demeure somptueuse, un jardin rempli de fleurs. Vous y receviez beaucoup. Pour te seconder, il y avait heureusement Evangelos, le cuisinier grec, depuis toujours dans la famille, et Marthe, la gouvernante.

Marthe ? Soudain se dresse devant Aude une femme au visage sévère entre les bandeaux de cheveux gris. Son regard est méprisant, accusateur ? À présent, c'est une clé qui lui apparaît, toute petite, une clé ancienne. La panique l'emplit : vite, elle doit la cacher. À aucun prix Marthe ne doit la voir.

Et son effroi est tel que c'est son visage qu'elle enfouit dans la poitrine de son père.

5

— Ce matin, j'ai mis ma mère très en colère.

— Dites-moi...

— Elle voulait m'accompagner ici et m'attendre au café comme mardi dernier, j'ai refusé. Pire, j'ai pris mon vélo – je l'ai appelé « la Flèche » –, elle le déteste.

— Détester un vélo ? Qui plus est un ancien champion ?

— D'abord, elle n'a jamais su en faire. Ensuite, il me permet de lui échapper.

Le docteur Armand sourit. Aude est contente d'être là. Cette fois, en lui ouvrant la porte, il lui a dit : « Vous connaissez le chemin. » Elle est allée directement au même fauteuil que mardi. L'a-t-il noté ? Mais ne parle-t-on pas de « retrouver ses marques » ? Sa modeste marque, ici.

— En plus, maman n'était pas chaude pour que je vienne vous consulter, avoue-t-elle. Elle est certaine d'être la mieux placée pour m'aider. Croyant bien faire, elle a tapissé tout un mur de ma chambre de photos : de ma naissance à mon mariage.

Elle hésite, se décide :

— Certaines me font très peur, c'est comme si elles me menaçaient.

— Peur ? Il me semble vous avoir déjà entendue prononcer ce mot.

Une grosse boule se forme dans la gorge d'Aude : peur de qui, de quoi ? De ne pas se souvenir, ou au contraire ? Et des mots jaillissent, qu'elle n'avait pas prévus.

— Surtout, docteur, n'hésitez pas à me poser des questions.

— Ne vous ai-je pas promis de vous accompagner ?

Elle incline la tête. N'aurait-il pas été plus juste de dire : « Obligez-moi à parler » ? Bien sûr, elle a ses parents, son frère bientôt, mais eux la connaissent trop pour être impartiaux. Et sans doute n'oseraient-ils pas poser les bonnes questions : celles qui font peur ?

— Eh bien, qu'avez-vous fait de beau, hier ? lance légèrement le médecin.

— Je me suis promenée avec mon père. Je lui ai demandé de me parler d'Emerick.

Emerick. Pour la première fois, elle a osé prononcer le nom de son mari à voix haute. Jusque-là, il se refusait à passer ses lèvres : « Attention, danger ? » Et, pour fêter cette petite victoire, elle désigne la bouteille et les verres sur le plateau, cette eau qu'elle avait refusée mardi alors même qu'elle mourait de soif.

— S'il vous plaît, je boirais bien un peu.

Le docteur Armand se lève, il remplit les deux verres, lui en tend un, boit avec elle, lui répétant qu'il l'accompagne.

— À la vérité, j'ai du mal à comprendre comment un homme aussi brillant, aussi important, a pu s'éprendre de moi, poursuit-elle. Selon mon père, ce serait ma pureté, mon innocence qui l'auraient séduit. « Pureté », je ne sais pas pourquoi, mais ce mot me met mal à l'aise.

Elle se revoit dans les jardins du musée de la Parfumerie. Elle revoit Pauline Bonaparte sur son lit de marbre blanc, elle s'entend accabler son père de questions, jamais satisfaite de ses réponses. Qu'avait-elle espéré ? Au moins autre chose que des banalités, de l'humour au rabais, des : « Vous vous disputiez... comme tout bon couple. » Mais n'est-elle pas injuste ? Du couple qu'elle formait avec Emerick, que pouvait-il savoir puisqu'à l'entendre, ils ne se voyaient guère que lors des réceptions données à L'Héliotrope.

L'Héliotrope... D'un coup lui revient le visage sévère de la gouvernante, une clé brûle sa paume, la panique l'emplit, les larmes affluent.

— Oui, pleurez, approuve le docteur Armand.

Il lui a tendu une poignée de Kleenex et elle s'est mouchée un bon coup. Puis elle lui a raconté sa vision – est-ce ainsi que ça s'appelait ? Marthe, deux bandeaux de cheveux gris, un regard accusateur, son sentiment de culpabilité. Et, au fil des mots, elle se sentait mieux, elle reprenait confiance, elle a même réussi à prononcer une seconde fois le nom d'Emerick.

Après, ils sont passés à du plus léger : son père, l'homme discret, artiste et tendre, toujours disponible pour elle. Elle lui a appris que sa mère et lui avaient divorcé, mais que ça allait. Ils s'entendaient bien maintenant. Ils se rencontraient avec plaisir à l'occasion des fêtes ou durant les vacances. Il y avait aussi Basile, son grand frère, huit années de plus qu'elle, journaliste. Le nom de Rémi lui est venu : « Ton soupirant », avait dit sa mère. Elle ne lui en a pas parlé : sa mère avait trop tendance à exagérer, surtout en ce qui concernait sa fille !

Quand, sur le bureau, le réveil a indiqué 15 h 25, le docteur Armand s'est levé. Elle lui a tendu l'enveloppe renfermant son chèque. Il l'a remerciée.

Parvenus à la porte, il a effleuré son épaule de sa main :

— Aude, vous êtes une brave.

Et, redescendant l'escalier où s'attardaient des odeurs de repas, où, derrière une porte, retentissait l'appel têtu d'un téléphone, elle a fait une chose stupide : elle s'est assise sur une marche, dans l'obscurité, pour prolonger cette deuxième rencontre, l'imprimer dans sa mémoire. C'est qu'elle continuait à craindre d'oublier, à se voir comme dans une barque, ballottée par la tempête, sans gouvernail ni passagers.

« Aude, vous êtes une brave. » Et pour mériter ce mot fabuleux, pour prouver au médecin qu'il ne s'était pas trompé en le lui offrant, elle s'est promis de se rendre dès le lendemain à L'Héliotrope. Et si la clé existait bien, elle la lui rapporterait.

6

Le portail est ouvert à deux battants. Joliment dessiné sur le bois blanc, le nom de la maison : « L'Héliotrope ». À droite, une boîte aux lettres « Monsieur Emerick Saint Georges », à gauche, un Interphone. Aude met pied à terre et s'engage dans l'allée en poussant son vélo.

Samedi, 11 heures. Elle n'a pas dit à sa mère où elle se rendait de peur qu'elle ne lui propose de l'accompagner. Elle n'a pas non plus appelé le numéro inscrit sur le répertoire de son agenda pour avertir de sa venue. N'est-elle pas chez elle ici ? À la vérité, c'est la crainte de tomber sur la gouvernante qui l'a retenue.

Jusqu'au dernier moment, elle a hésité à tenir la promesse qu'elle s'était faite : le sentiment d'aller droit dans la gueule du loup. Quel loup ? Lors de sa première rencontre avec le docteur Armand, il lui avait dit quelque chose comme : « Vous en reviendrez plus forte. » Revenir d'où ? De quel cauchemar dont, pourtant, elle redoute de se réveiller ?

« Aude, vous êtes une brave ! »

Allons !

Là-bas, l'imposante maison à colonnades lui rappelle un peu les films de Hitchcock : *Soupçons* ? *Psychose* ? Plutôt *Rebecca*, tiré du roman de Daphné du Maurier, dont elle se récite à mi-voix la première ligne : « Hier, j'ai rêvé que je retournais à Manderley. » Le château où règne la redoutable madame Danvers. Marthe ? Parfois, avoir trop d'imagination n'est vraiment pas un cadeau !

Une brise légère, parfumée, l'accompagne. Des massifs de fleurs, en majorité des lys, lui font escorte. Qui entretient si bien ce jardin ? Depuis combien de temps a-t-elle quitté cet endroit pour se réveiller à l'hôpital, amputée d'une partie de son passé ? Un petit mois, selon ses calculs : un monde ! Dans quel état d'esprit était-elle, ce matin du 10 avril, en montant dans la voiture de son mari : heureuse ? détendue ? Brouillard, brouillard...

Non loin, dans un bouquet d'arbres, une fauvette lance un cri minuscule, fin comme une aiguille. À moins que ce ne soit une grive musicienne. Il y a tant d'oiseaux, par ici. Tiens, aucun parfumeur n'a encore songé à se les approprier. Pourtant, ce serait joli : oiseaux sauvages, apprivoisés, captifs. « Captif », « Captive », un beau nom pour un parfum ou une eau de toilette !

Aude s'arrête pour les écouter. Ici, pas de « souvenirs de souvenirs » ni de « confabulation », ce vilain mot, du réel, du tangible. Mais qui la mène où ? Mais... mais... tous ces « mais » qui ouvrent sur d'autres interrogations.

Elle y est presque. Elle distingue le perron de pierre grise, à double rampe, qui mène à la porte d'entrée. Au premier étage s'alignent de hautes fenêtres à petits carreaux, toutes semblables et dont tous les volets sont ouverts. L'attendant ? La fenêtre du centre, entre les deux colonnes, arbore un balcon fleuri. Son cœur bat plus vite, c'est la sienne, elle le sait.

Ces fleurs, elle y a promené l'arrosoir, le matin, avant que le soleil frappe. Elle peut sentir l'odeur de la terre reconnaissante et, sous ses pieds, la fraîcheur de la dalle. Mais, poursuivant son chemin, elle ne peut s'empêcher de courber le dos, s'attendant à tout instant à entendre retentir son nom. N'y a-t-il donc personne, ici ? Le « château de la Belle au bois dormant ». Où est la Belle ?

Parvenue en bas du perron, elle abandonne son vélo contre un mur, gravit les quelques marches. La voilà face à la porte, munie d'une impressionnante serrure et d'un heurtoir de bronze. Elle hésite : doit-elle frapper ? À tout hasard, elle tourne la poignée. La porte s'ouvre. Elle s'immobilise.

Ce vaste hall dallé, ce coffre sombre sculpté, aux pieds en griffes, ces appliques dorées, ce miroir, elle les reconnaît. Et la peur la pétrifie.

Son mari va apparaître en haut de ces marches. Il la dévisagera. Il lancera d'une voix implacable : « Ah, vous voilà quand même ! D'où venez-vous encore ? »

— Madame Emerick, enfin !

7

L'image de son mari s'est volatilisée. Un petit homme à abondante crinière blanche, au visage creusé de rides, se pressait vers elle et un immense soulagement, presque du bonheur, l'a emplie. Elle lui a ouvert ses bras, l'y a serré longuement. Lorsqu'ils se sont séparés, tous deux avaient les larmes aux yeux.

— Evangelos, tu m'as manqué !

— Madame, nous vous avons tant espérée !

Nous ? Marthe et lui ? Prenant sur elle, elle s'est emparée de la main du cuisinier et l'a entraîné sans hésiter vers la porte étroite qui se fondait dans le mur, à gauche de l'escalier. Elle donnait sur un office, ouvrant sur une vaste cuisine. Y débouchant, un sentiment de bien-être a parcouru Aude tandis que le mot « refuge » lui apparaissait.

Sous l'autorité d'une solide horloge comtoise se mêlaient mobilier ancien et équipement moderne. Instinctivement, elle s'est dirigée vers l'une des chaises paillées entourant la grande table de bois – « sa » chaise – d'où l'on avait vue sur l'ensemble de la pièce. Elle y a pris place. Grave, retenant son souffle, le vieux Grec ne la quittait pas des yeux.

— Qu'est-ce que tu attends pour nous servir à boire ? lui a-t-elle demandé d'un ton faussement sévère.

— Tout de suite, madame.

Oh, ces « madame »... Elle lui aurait bien demandé de l'appeler par son prénom mais elle savait qu'il refuserait.

Il a sorti du réfrigérateur une bouteille de jus de pomme et l'a posée sur la table. Il l'a accompagnée de deux verres et, pour elle, d'une serviette blanche à initiales brodées. Elle s'est penchée : un I, un S, un G, entrelacés. Isabelle Saint Georges, bien sûr, la mère d'Emerick. Le cuisinier a rempli les verres et il a levé le sien.

— À votre retour !

La gorge d'Aude s'est serrée : pensait-il qu'elle était revenue pour de bon, qu'elle avait l'intention de rester ?

— Comment cela se passe-t-il ici ? a-t-elle demandé avec précaution.

— Sans monsieur, ce n'est pas facile, a-t-il soupiré. Heureusement que madame Delcourt a bien voulu nous donner de vos nouvelles. Nous avons été heureux d'apprendre que vous étiez sortie de l'hôpital.

Sa mère, évidemment ! Une brève irritation l'a traversée. Face au visage heureux du vieil homme, elle se l'est reprochée : Marie-Ange avait bien fait.

— Puis-je demander à madame comment elle se porte aujourd'hui ? a-t-il repris dans un français parfait, rendu plus savoureux encore par l'accent chantant, rocailleux, de son pays.

— Chaque jour un peu mieux, mais je vais avoir besoin de ton aide.

Il a acquiescé et ils ont bu un moment en silence dans le battement régulier de la comtoise, du même bois de chêne que la table. Evangelos s'est éclairci la gorge.

40

— Les gendarmes sont venus ici deux fois, lui a-t-il appris.

La première, c'était le jour de l'agression. Ils voulaient savoir à quelle heure les patrons avaient quitté la maison : 11 heures. Marthe et lui savaient-ils où ils se rendaient ? Ils ne le leur avaient pas dit. Leurs projets pour la journée ? Déjeuner prévu au domaine. Départ de monsieur en fin d'après-midi pour Nice d'où il s'envolerait pour l'Italie, Rome.

Aude a levé le doigt comme une petite fille.

— Dis-moi, Evangelos, mon mari voyageait-il beaucoup ?

— Souvent. Pour son travail.

— Et il m'emmenait avec lui ?

— Non, madame. Mais il n'aimait pas vous laisser seule alors il ne s'absentait jamais longtemps.

Elle l'a revu dans l'escalier. Elle a entendu sa voix : « Vous voilà quand même. D'où sortez-vous encore ? »

— Est-ce qu'il me vouvoyait ? a-t-elle demandé plus bas.

— Ça lui arrivait. C'était comme ça dans la famille.

La seconde fois que les gendarmes étaient venus, ils avaient fouillé toute la maison, s'attardant plus particulièrement dans la chambre « Topaze », la leur. En redescendant ils semblaient déçus. Ils avaient posé, à Marthe et à lui, des questions désagréables, par exemple si leurs maîtres s'entendaient bien, s'il leur arrivait de se disputer. Comme s'ils étaient du genre à écouter aux portes. Et connaissaient-ils des ennemis à leur patron ? Et là, il leur avait répondu vertement que lorsqu'on est aussi haut placé, des ennemis, on n'en manque pas.

41

— Il ne faut pas oublier que monsieur a porté haut le beau nom de Saint Georges, a ajouté le vieux Grec avec fierté.

Aude n'en a pas été étonnée. Son père ne lui avait-il pas rappelé qu'il était depuis toujours dans la famille ? Qu'en quelque sorte il en faisait partie ?

— Espérons qu'il va revenir, s'est-elle entendue dire.

— C'est ce que nous nous répétons chaque jour.

« Nous » ? Aude a revu la femme aux cheveux en bandeaux gris : le moment était venu. Elle s'est penchée sur Evangelos et elle a plongé ses yeux dans les siens.

— S'il te plaît, parle-moi de Marthe.

8

Il détourne la tête. Aude ne s'est pas trompée. Il y a bien un problème de ce côté-là.

— Qu'est-ce que madame voudrait savoir ?

Elle s'efforce de prendre un ton léger :

— Si tu me disais déjà ce que tu as fait d'elle ?

— Marthe est partie faire les courses avec la Twingo.

— La Twingo ?

— La voiture de la maison. Monsieur était le seul à conduire la Mercedes... retrouvée portières ouvertes, clés sur le contact, près de Gourdon. Vide.

— Croyez bien qu'elle sera désolée de vous avoir manqué, ajoute-t-il.

Ne dirait-on pas qu'il lui tend la perche ?

— Désolée ? En es-tu certain ? Je crois me souvenir qu'elle ne m'aimait pas trop.

— Mais c'était au début, avant de vous connaître, s'insurge le cuisinier. Marthe était encore sous le coup de la mort de madame Béatrice. Elle la connaissait depuis l'enfance et lui était très attachée. Alors, bien sûr, quand elle vous a vue arriver...

Jeune, jolie, disait-on. Une intrigante ? Face au visage désolé de son interlocuteur, Aude préfère ne pas insister. Elle désigne les étagères bien remplies, le grand réfrigérateur, le congélateur.

— Pardonne-moi cette question, Evangelos, mais voilà presque un mois que mon mari n'est plus là. Comment faites-vous bouillir la marmite ? Et vos gages ?

— Que madame ne s'inquiète pas pour ça. Le père de monsieur s'est mis en relation avec la banque. Il a donné des instructions pour que tout continue comme avant. D'ailleurs, il devrait revenir prochainement pour régler les problèmes de l'entreprise.

Bien sûr ! Comment Aude n'y a-t-elle pas pensé ? La maison Saint Georges ne roule pas toute seule. Aura-t-elle bientôt l'occasion de rencontrer enfin le « roi Édouard » ? L'homme aimé, estimé de tous, selon son père.

— Pourras-tu m'avertir dès que tu connaîtras la date de son arrivée ?

— Sans faute, madame.

*

Il était presque midi lorsqu'elle s'est engagée dans l'escalier de marbre, soulagée qu'Evangelos n'ait pas proposé de l'accompagner. Le tact, la discrétion d'un vieux serviteur qui en sait beaucoup mais le garde pour lui.

Aude a monté les marches en retenant son souffle. Trouverait-elle là-haut ce qu'elle était venue chercher ? Une clé minuscule, peut-être imaginaire, mais qui, chaque fois qu'elle l'évoquait, mettait la pagaille dans son cœur ? Parvenue sur le palier, elle s'est immobilisée, impressionnée par la rangée de portes sœurs le long du couloir. Sur chacune, une plaque dorée affichait le nom d'une pierre-parfum. Elle a pu lire : « Rubis », « Saphir », « Opale ». C'est sans hésiter qu'elle s'est arrêtée devant la porte « Topaze ». Elle en a tourné la poignée.

Une sensation de froid l'a saisie, presque une glaciation. Elle venait de tout ce blanc, parfois bleuté, qui semblait figer la pièce. Blancs : murs, plafond, placard et l'épaisse moquette sur laquelle elle s'est engagée, hésitant à retirer ses baskets. Légèrement bleutés, le couvre-lit, les oreillers et le voilage derrière lequel se dressaient les colonnes du perron. Seules notes de couleur, une pendule en acajou, une coiffeuse et un secrétaire ancien. Résistant à son envie de faire demi-tour, elle a refermé la porte derrière elle.

C'est d'abord vers la coiffeuse qu'elle s'est dirigée. Un coffret ornementé – sans clé – y était posé. Elle l'a ouvert. Toutes sortes de bijoux sont apparus, dont une bague portant un gros diamant : sa bague de fiançailles. « Maman serait contente », n'a-t-elle pu s'empêcher de penser. Soupçonnant son agresseur de la lui avoir dérobée, Marie-Ange en avait fait toute une maladie, insistant pour qu'Aude déclare sa disparition à son assurance. Comme si c'était une priorité ! Lorsqu'elle a voulu la glisser à son doigt, elle s'y est refusée, trop étroite comme son alliance. Elle l'a replacée dans le coffret. De toute façon, elle n'avait pas l'intention de parler à sa mère de sa venue ici : ça lui éviterait de mentir.

Avant de s'attaquer au secrétaire, elle a observé une petite pause, tendant l'oreille vers la cuisine, espérant y entendre un peu d'animation, de vie. Mais non. Ces belles demeures n'étaient-elles pas conçues pour éviter tout bruit, toute odeur susceptibles d'offenser les oreilles ou les narines délicates de leurs propriétaires ?

De nombreux papiers étaient rangés dans le meuble, dont son passeport, son permis de conduire et le livret de famille. Aucune clé. Pas davantage dans la commode, du même bois blanc satiné que les tables de nuit. Trois larges tiroirs qu'elle a fouillés méthodiquement, glissant ses mains dans du petit linge, chemises, mouchoirs, bas et chaussettes. Enfin, elle s'est attaquée à la penderie où elle a fouillé costumes, tailleurs, manteaux, robes et pantalons. Rien. Rien. En inspectant les poches, plongeant ses doigts au bout des chaussures alignées sur des tringles, elle éprouvait un sentiment de honte. Elle avait envie de demander pardon : à qui ? De dire « Je suis désolée » : de quoi ? Et finalement, elle a été soulagée de ne rien trouver : elle avait affabulé, comme pour l'hostilité de Marthe à son égard.

Le tiroir d'une des tables de nuit contenait plusieurs mouchoirs et un tube de Gardenal : un somnifère. Dans l'autre, un portable qu'après avoir hésité elle a glissé dans sa poche. C'est dans la salle de bains – baignoire à remous, deux lavabos à robinet doré, une profusion de produits de beauté – qu'elle a découvert la clé. Sur une étagère, dissimulée dans un gant de toilette entre deux serviettes éponge : une bonne cachette qui avait échappé aux gendarmes, pourtant rompus à l'exercice. Une petite clé sombre semblable à celle qui lui était apparue lorsque son père avait prononcé le nom de Marthe. Elle a rejoint le portable dans sa poche.

Alors qu'elle s'apprêtait à quitter la pièce, une chemise de nuit de dentelle, chemise de grand-mère, de vide-greniers, suspendue à une patère, l'a pétrifiée.

Soudain, le mot « immaculée » hurle dans sa tête. À genoux dans cette chemise de nuit, aux pieds d'un homme dont elle ne distingue que le pantalon de pyjama, elle sanglote, prie, supplie. De quoi l'accuse cette voix trop douce qui se perd dans les aigus, cette voix de fausset ? Quelle faute Aude a-t-elle commise pour mériter le châtiment qui l'attend ? Une main se pose sur sa tête, l'approche du pyjama, celle d'un homme dont elle ne peut voir le visage, dont elle se refuse à prononcer le nom.

Le tintement de la pendule, dans la chambre, l'a ramenée à la réalité. Elle s'est enfuie.

9

Des cloches, sonnant à toute volée, la réveillent.
Où est-elle ? Ouvrant les yeux, se retrouvant chez
sa mère, dans sa chambre, son lit, un indicible soulagement l'emplit : c'est fini !
Elle a rêvé qu'elle errait nue dans une plaine glacée. D'une longue chemise de nuit qui l'enveloppait
comme un linceul, d'une voix qui lui ordonnait « À
genoux ! » et d'un mot qui s'imprimait partout :
« immaculée ». C'est fini, c'est fini. Pourquoi ne
cesse-t-elle pas de se répéter ces deux mots, comme
un mantra ? Qu'est-ce qui a pris fin ? Quel danger
s'est éloigné ? Quelle menace dont elle peine à se
souvenir ?
8 h 30, dimanche. Ce sont les cloches de la cathédrale de Grasse appelant les fidèles à la messe qui
l'ont tirée de son cauchemar. Pas celles qui y tin-
taient comme un glas qu'elle entend encore. Elle
retombe sur son oreiller, remonte le drap jusqu'à
son menton. Des cauchemars, elle en a souvent,
qu'elle oublie la plupart du temps. Devrait-elle noter
celui-là pour en parler au docteur Armand ?
« Aude, vous êtes une brave ! »
L'Héliotrope, mais oui. Hier, elle s'y est rendue et,
d'un coup, des images l'assaillent : un jardin plein

48

de lys, Evangelos, une cuisine-refuge, une chambre glacée. La sienne. « Topaze, l'eau bleue ».

La clé !

Elle se redresse et ouvre le tiroir de sa table de nuit. La clé s'y trouve bien, accompagnée d'un téléphone portable. Le sien ? Celui de son mari ? Pourquoi lui inspire-t-il cette répugnance, comme s'il s'agissait d'un animal malfaisant ?

Les yeux clos, elle sonde de nouveau sa mémoire, Comment est-elle rentrée ici ? À vélo, bien sûr. Elle se revoit déposant la Flèche – la jetant ? – dans la cour de l'immeuble. Il y avait un mot de sa mère sur la table de la cuisine, l'avertissant qu'elle ne serait pas là pour dîner, inutile de l'attendre.

Les samedis de Marie-Ange sont réservés à ses copines : un spectacle suivi d'un bistrot. Aude avait-elle dîné ? S'étaient-elles vues à son retour ?

Soudain monte en elle une violente nausée qui la jette hors de son lit, la précipite aux toilettes. Tout juste si elle a le temps de refermer la porte avant de se pencher sur la cuvette. Lorsqu'elle se relève, elle est en nage, les yeux noyés. Pour pas grand-chose : un peu de bile. Pourvu qu'elle n'ait pas réveillé sa mère !

Le silence du côté de la chambre matrimoniale la rassure. Elle passe dans la salle de bains. Découvrant son visage dans la glace, elle a un sursaut : cette femme dévastée, aux yeux soulignés de mauve, au regard traqué, est-ce bien elle ? Où est la « si jolie personne » évoquée par son père ?

Et voilà que, dans son brouillard, émerge un mot. Un cri lui échappe : oh non, c'est impossible, cela ne se peut ! Elle s'oblige à retirer son pyjama et se tourne vers la glace en pied. Ce ventre légèrement bombé, ces seins plus volumineux dont l'aréole la

picote... sans compter un récent dégoût pour certains aliments, ses pantalons qu'elle a du mal à
fermer, son alliance trop étroite...

Enceinte ?

Assise, incrédule, sur le rebord de la baignoire,
elle tente de calculer. À quand remontent ses dernières règles ? Tout ce dont elle est certaine, c'est
qu'elle ne les a pas eues à l'hôpital. Comment ne
s'en est-elle pas inquiétée ? Le souvenir du coup de
poignard dans son cœur devant le ventre glorieux de
la jeune femme au tee-shirt, « Oui, j'attends ! », lui
revient. Elle, le ventre plat. En deux ans de mariage,
pas de bébé. Pourtant, ne s'est-elle pas toujours promis d'en avoir plusieurs ? Et des enfants rapprochés,
contrairement à son frère et elle, huit ans de différence. Emerick n'en voulait-il pas ? Prenait-elle des
contraceptifs ?

Savoir.

Elle revient dans sa chambre, enfile ses vêtements
de la veille, attrape son sac et quitte l'appartement
en s'appliquant à ne pas faire de bruit. Une chance
que sa mère soit adepte des grasses matinées.

Dimanche. La pharmacie voisine est fermée, celle
de garde indiquée sur le rideau de fer. Elle court
vers la croix verte qui clignote là-bas. Pas un chat
dans les rues, de la douceur dans l'air, un volet qui
claque, une chanson au loin, la vie. Sans elle.

Arrivée près de l'officine, elle s'arrête. Ni coiffée
ni maquillée, on va la prendre pour une folle. Avant
d'entrer, elle s'efforce de respirer plusieurs fois profondément. Ça va mieux. Merci, douce Mathilde !

— Mademoiselle ?

Derrière le comptoir, une femme d'une cinquantaine d'années lui sourit.

— Un tube d'aspirine, s'il vous plaît, et un test de grossesse.

— Tout de suite.

Lâche, en plus, incapable d'aller droit au but, enrobant stupidement sa demande. Et comme la pharmacienne revient, pose deux boîtes sur le comptoir, lui sourit de nouveau, elle voit bien qu'elle n'a pas été dupe.

— Je vous ai mis de l'aspirine du Rhône : pas plus de six comprimés par jour. En ce qui concerne le test, tout est indiqué sur la notice, vous verrez, c'est très simple, résultat en quelques minutes.

Elle a parlé d'une voix douce, compréhensive, Aude retient ses larmes. Et si elle lui disait tout ? Mon mari a disparu, j'ai perdu la mémoire, j'ai peur d'être enceinte.

Près de la porte coulissante, une brève sonnerie retentit, un couple entre, Aude sort son porte-monnaie, paie, remercie, s'enfuit.

« On ne sait jamais ce que le passé vous réserve », a écrit Françoise Sagan. Sur la notice, en effet très claire, il était recommandé de pratiquer le test avant le petit déjeuner, parfait ! Il suffisait de plonger une sorte de thermomètre à fenêtre dans un récipient contenant son urine pendant quelques secondes puis d'attendre trois minutes. Le temps écoulé, si une seule barre apparaissait dans la fenêtre, pas de bébé. Deux barres, grossesse confirmée. « Ne tardez pas à consulter votre gynécologue. »

Deux barres sont apparues.

Une immense lassitude a envahi Aude. C'était trop ! Cette fois, la barque allait chavirer : enceinte, enceinte. Et qui pour prendre sa main, l'empêcher de sombrer ? Le docteur Armand ? Dimanche,

51

jamais elle n'oserait l'appeler. Sa mère ? D'avance, elle entendait ses cris. Son père ? Elle l'avait déjà laissé KO la dernière fois qu'ils s'étaient vus en piquant une crise après qu'il lui avait cité Marthe. Son frère ? En Égypte. Une amie ? Quelle amie ?

Soudain, dans son désespoir, un nom s'est imposé : Mathilde. Ne lui avait-elle pas donné le courage d'entrer dans la pharmacie ? Oui, Mathilde comprendrait. Et elle saurait se montrer discrète.

Elle a pris le carnet à spirales sur lequel elle avait noté le numéro de téléphone de l'orthophoniste à côté de celui du docteur Armand et elle a couru au salon. S'il te plaît, maman, dors encore un peu. Je t'en prie, Mathilde, réponds-moi.

10

Aude avait souvent regretté de n'avoir pas de sœur. Pas une petite qu'elle aurait cajolée ; non une grande à qui elle aurait confié ses joies et ses peines, avec qui elle aurait tout partagé. Basile, c'était bien, et Dieu sait qu'elle l'aimait, mais avec un frère, il y a des sujets pratiquement inabordables comme ceux concernant le sexe. Bien sûr, si elle lui avait parlé de sa grossesse et lui avait demandé son aide, il n'aurait pas hésité à la lui accorder, en commençant par la chahuter pour cacher sa gêne, genre : « Toi, décidément, pas cap' de rien faire comme tout le monde. » Mais il se trouvait qu'elle ne se sentait pas d'humeur à être chahutée.

Et voilà qu'en ce début d'après-midi ensoleillé, assise près de Mathilde à la terrasse du Café Antoine, non loin de chez elle, après lui avoir tout balancé entre rires et larmes, Aude se demandait si elle n'avait pas trouvé la grande sœur dont elle avait rêvé.

Autour d'elles, la plupart des tables étaient occupées, beaucoup par des touristes qui parlaient fort et ne cessaient de brandir des appareils divers pour prendre photos ou selfies. Comment faisait-on avant, quand on n'avait que ses yeux pour regarder et ses oreilles pour entendre ? Et pour le contact, la simple chaleur d'une main, d'une peau ?

— Quand vous avez vu s'afficher les deux barres sur le test, quelle a été votre réaction ? lui a demandé l'orthophoniste avec précaution.

Oh, ce « vous » qui mettait une insupportable distance entre elles. Comme les « madame » d'Evangelos. Aujourd'hui où l'on tutoie le premier venu, pourquoi fallait-il que Mathilde le lui inflige ?

— D'abord un gros « Non ». « Pas ça, pas maintenant ! » Et, très vite, comme une voix qui protestait.

Elle a tenté de rire :

— N'oubliez pas que je fais tout pour me souvenir que j'ai bien eu un mari.

Mathilde a acquiescé avec un sourire lumineux. Lumineux, le mot lui convenait. Et belle aussi, longue, fine, cheveux châtains, yeux bleus. Un jour, elle était venue la voir à l'hôpital avec sa fille, une petite Margot de 10 ans qui lui ressemblait. Remarquant, près de sa tasse de café, un carré de chocolat entouré de papier doré, Aude s'est souvenue que, lorsqu'elle avait cet âge, son père les gardait pour elle. Et elle-même les conservait si longtemps que le chocolat finissait par devenir tout blanc. Mathilde rapporterait-elle celui-ci à Margot ?

— La première chose à faire, me semble-t-il, sera de confirmer votre grossesse. Si vous voulez, je vous indiquerai une gynécologue, a-t-elle proposé.

— Vous feriez ça ? Oh merci ! Et le plus vite sera le mieux.

— Pour peu que j'insiste, elle vous recevra dès demain, c'est une amie, et elle aussi travaille au centre hospitalier.

— Alors je n'aurai pas trop de mal à trouver mon chemin...

Et Aude a ajouté un peu timidement :
— Ce serait bien que vous lui parliez de moi.
À l'idée de devoir, une fois de plus, raconter son histoire, en craignant de n'être pas assez précise, d'oublier des faits importants, elle se sentait épuisée d'avance.
— Si cela peut vous aider.
Elles ont bu un moment en silence. Plutôt qu'un café, Aude avait commandé une limonade au citron. La boisson était fraîche, légèrement acide. Soudain, un verre de jus de pomme lui est apparu. Evangelos. Elle s'est lancée :
— Hier, je suis retournée dans mon ancienne maison. J'y ai retrouvé toutes sortes de souvenirs, des bons et des moins bons. À la fois je savais que j'avais vécu là – une certitude – et en même temps, c'était comme si une partie de moi refusait de l'admettre. Depuis, je n'arrête pas de me répéter « C'est fini » sans vraiment savoir de quoi il s'agit.
Malgré elle, sa voix s'était cassée.
— Il faudra en parler avec le docteur Armand, a réagi Mathilde avec chaleur. Vous le voyez bientôt ?
— Mardi, après-demain.
Machinalement, ses doigts sont allés à sa poche, là où se trouvait la carte avec ses rendez-vous. La question est venue à son insu.
— Qui est-il, Mathilde ? Qui est le docteur Armand ? Il sait presque tout de moi et moi si peu de lui, cela me paraît injuste. Est-ce qu'il est marié ? A-t-il des enfants ?
L'orthophoniste a hésité et Aude s'en est voulu d'avoir posé la question. N'allait-elle pas imaginer qu'elle faisait un « transfert », comme on dit ? Alors que ce n'était pas du tout ça. C'était seulement que, à certains moments, il lui semblait n'avoir plus que lui.

— Étienne Armand est marié et il a deux enfants, fille et garçon, s'est décidée Mathilde. Chut ! Je ne suis pas censée vous en avoir parlé.

De nouveau, le désespoir est monté. Étienne Armand : deux enfants.

Mathilde, Margot... Et elle ? Dans son ventre cette graine, cet œuf, ce fœtus venu d'un homme dont elle avait peine à prononcer le nom, dont elle ne gardait que des souvenirs glaçants. Quand ? Où ? Comment ?

Pour la première fois, elle s'est dit qu'elle aurait préféré ne pas se réveiller. Ou avoir perdu totalement la mémoire, tant pis ! Elle a regardé, en face d'elle, la belle femme bien dans sa peau : « Chut ! » Comment avait-elle pu imaginer une seule seconde qu'elle pourrait être sa sœur ? Une sœur, ce n'était pas ça, ça n'avait rien à voir. Une sœur l'aurait attrapée dans ses bras, serrée à l'étouffer, tempêté : « Ne compte pas sur moi pour te lâcher avant que tu m'aies tout balancé ! » Tout, même ce qu'elle tentait de se cacher à elle-même. Une sœur aurait « su ».

Une plainte lui a échappé. Chapeau, la brave ! Le doigt de Mathilde a poussé vers elle le petit carré de chocolat entouré de doré.

— Pour vous, a-t-elle dit.

11

— Une nouvelle qui va te plaire : Basile a appelé. Il sera de retour en fin de semaine, lance joyeusement sa mère alors qu'Aude entre dans la cuisine pour le petit déjeuner. Nous sommes priées de lui réserver la journée de dimanche. Dîner grand tralala à la Bastide Saint-Antoine, offert par *Nice-Matin*. J'ai averti ton père. Il sera là.

Le cœur d'Aude se dilate : son grand frère si généreux, attentif et protecteur. Elle se reproche ses pensées de la veille : mais si, Basile serait capable de tout entendre !

8 h 30. Habillée, pomponnée, prête à partir au travail, Marie-Ange verse l'eau chaude dans la théière, engage deux tartines dans le grille-pain, s'assure que tout le nécessaire est bien sur la table.

— Reposée, ma poulette ?

— La poulette a dormi comme un plomb.

En plus, c'est vrai. Aidée par un petit carré de chocolat, un gros retard de sommeil à rattraper et surtout l'assurance de voir la gynécologue aujourd'hui.

— Des projets pour ta journée ?

— Pas précisément, ment-elle.

Sinon attendre l'appel de Mathilde lui indiquant l'heure du rendez-vous.

Tout en buvant son thé, elle éprouve un brin de remords. N'importe quelle fille ne se serait-elle pas confiée en priorité à sa mère ? Mais c'est que Marie-Ange n'est pas n'importe quelle mère et Aude n'ose imaginer sa réaction si là, tout de suite, elle lui envoyait qu'elle est enceinte. Stupéfaction ? Incrédulité ? Et, pour finir, qui sait, se poser la question des gros sous : un héritier en route ?

En attendant, elle jette un regard à la pendule, soupire, lui tend les tartines chaudes, pique un baiser sur son front.

— Tu rangeras ?

Il était 15 h 30 quand Aude est entrée dans le cabinet du docteur Annie Prévost, une robuste femme dans la cinquantaine, aux seins lourds, au chignon gris. Celle-ci a commencé par établir son dossier et, lui répondant de façon précise, sans hésitation, Aude reprenait confiance : malgré tout, elle avait fait de sacrés progrès. Pourquoi le reste ne suivrait-il pas ?

Puis la gynécologue a croisé ses mains sur la table et lui a souri.

— D'après ce que m'a dit notre amie, le résultat du test que vous avez pratiqué a été une surprise totale pour vous.

« Notre amie », cela a fait plaisir à Aude.

— Mathilde a dû vous raconter mon accident. À la vérité, j'ai encore des difficultés à me souvenir de ce qui concerne mon couple, alors oui, ça a été une sacrée surprise. Même si j'avais pu constater une certaine prise de poids, ainsi que quelques menus changements.

Le docteur Prévost s'est levée.

— Eh bien, nous allons voir ça !

Elles sont passées dans la salle d'examen, séparée du bureau par un déshabilloir où le médecin lui a demandé d'ôter ses vêtements, de ne garder que son soutien-gorge. Comme Aude marquait un arrêt, elle a ajouté d'une voix faussement autoritaire : « Exécution ! »

Exécution... Se dévêtant à contrecœur, prise d'une pudeur exagérée – comment avait-elle pu penser un seul instant pouvoir garder ses vêtements ? –, il semblait à Aude se préparer pour le bourreau. Quel bourreau ? Elle a dû se forcer à enlever sa culotte.

La gynécologue l'attendait près d'une haute table munie d'étriers. Elle la lui a désignée.

— Étendez-vous là, s'il vous plaît, vos pieds dans les anneaux.

Cette fois, Aude a dû se faire violence. En elle, la panique montait, et alors qu'elle avait insisté auprès de Mathilde pour être reçue au plus vite, elle n'avait plus qu'une envie : se sauver.

Le docteur Prévost a d'abord palpé son ventre. Elle a soulevé les bonnets de son soutien-gorge pour faire de même avec ses seins : sans commentaire.

Puis elle a enfilé un gant de plastique et a rapproché sa main du bas-ventre d'Aude. Une onde de terreur l'a soulevée et elle a tenté en vain de refermer ses cuisses.

— Allons, allons, madame, calmez-vous. Je dois juste procéder à un toucher vaginal pour confirmer votre grossesse, a dit la gynécologue en la maintenant en position avant que ses doigts ne la pénètrent.

La douleur a été foudroyante : une déchirure. Un viol ? Aude a crié. La main s'est retirée.

— Je vous ai fait mal ?

Aude a acquiescé : mal, oui. Et si peur aussi. Au coin de sa lèvre, elle a senti le goût salé des larmes.

— Eh bien, nous allons procéder autrement, a décidé rondement la femme au chignon gris en jetant le gant dans une corbeille. Rassurez-vous, je ne vous martyriserai plus.

Elle lui a désigné l'écran fixé au mur, à gauche, au-dessus de la table.

— Je suppose que vous avez entendu parler d'échographies prénatales ? Celle-ci nous permettra de savoir exactement où en sont la mère et l'enfant.

À gestes doux, elle enduisait le ventre d'Aude d'une sorte de gelée. Puis elle y promena une longue tige transparente – une sonde, lui expliquait-elle. Sur l'écran, des images en noir et blanc apparaissaient, de menus remous marins. Plus de peur en Aude, seulement un gros chagrin : lui ? Elle ? La gynécologue a essuyé son ventre avec une poignée de mouchoirs en papier.

— Vous êtes effectivement enceinte, madame. Votre bébé a deux mois, et il se porte bien.

Deux mois : mars. Tout en se rhabillant, Aude tentait d'intégrer la nouvelle : un mois avant l'agression. Connaissait-elle alors son état ? Ce bébé, l'avaient-ils voulu, Emerick et elle ? Pavoisait-elle à l'idée d'être mère, comme la femme au joyeux tee-shirt aperçue dans les jardins de la Princesse Pauline ? Pavoiser... Emerick... ça n'allait pas vraiment ensemble, s'est-elle dit.

Elle a enfilé sa veste pour être plus vite rentrée chez elle afin de réfléchir, calculer : sans témoin.

Le docteur Prévost annotait son dossier lorsqu'elle est revenue prendre place en face d'elle.

— Pardonnez-moi pour tout à l'heure. Je ne sais vraiment pas ce qui m'a pris, a-t-elle avoué.

— Ce genre d'examen peut être éprouvant et je suppose que vous n'y avez pas été souvent soumise, l'a rassurée le médecin avec un sourire.

Elle a glissé l'échographie dans une grande enveloppe.

— Il faudra en envisager une autre prochainement. En attendant, m'autorisez-vous à vous poser quelques questions indiscrètes ?

Aude s'est contentée d'incliner la tête, en proie à une soudaine méfiance.

— Durant combien d'années avez-vous été mariée ?

— Deux ans et quatre mois.

Elle avait répondu sans hésitation. Que de fois avait-elle fait le calcul depuis sa sortie de l'hôpital, se référant aux dates inscrites au-dessus des photos du « Désert des Tartares », le bien nommé !

— Je suppose que votre mari était le premier, a poursuivi la gynécologue.

— Mais... certainement.

— Pardonnez-moi cette question un peu abrupte : avait-il des troubles de l'érection ?

Aude a senti ses joues s'empourprer.

— Mais je ne sais pas, je ne me souviens plus. Je vous l'ai dit, j'ai presque tout oublié de cette période. Pourquoi me demandez-vous ça ?

Le docteur Prévost a eu un regard de compassion.

— Votre rejet de toute pénétration, la douleur que vous avez ressentie lors du toucher vaginal semblent indiquer que vos rapports avec votre mari devaient être rares et certainement difficiles, voire violents.

Et, comme ces mots sont prononcés, un souffle glacé emporte Aude, elle se noie dans un immense silence blanc. À genoux devant l'homme dont elle se refuse à prononcer le nom, elle prie, supplie. Il appuie sa main sur sa tête...

— Madame ?

Comme son front cognait sur le bois dur du bureau, l'image a disparu.

— Laissez-moi vous aider.

Le docteur Prévost la prenait aux épaules, la soutenait jusqu'au canapé, l'obligeait à s'y étendre. Elle lui présentait un verre d'eau.

— Buvez.

Elle parvenait à avaler quelques gorgées.

— Qu'est-ce qui m'est arrivé ? a-t-elle bredouillé.

— Un bon gros étourdissement ! Cette dernière heure a été rude, et votre accident est encore récent.

Emerick... enceinte... deux mois...

— Mais qu'est-ce que je vais faire ? s'est-elle entendue murmurer.

— Il me semble que l'enfant que vous portez a peu de chances de connaître son père, n'est-ce pas ? a demandé son interlocutrice d'une voix pleine d'empathie.

Aude a acquiescé.

— Il vous reste tout un mois pour décider si vous souhaitez le garder ou non.

Le mot « avortement » s'est affiché devant ses yeux. Elle a caché son visage dans ses mains. La gynécologue a observé un silence. Quand elle a repris la parole, il a semblé à Aude que sa voix avait une plus grande fermeté : un encouragement ?

— Vous n'avez que 23 ans, madame, et vous pouvez espérer être de nouveau enceinte. Pourquoi pas plusieurs fois, et dans des conditions moins difficiles ? Pourquoi pas heureuses ? Alors prenez le temps de réfléchir et sachez que, quelle que soit votre décision, je la respecterai. Et serai là pour vous aider.

12

Un soir, Aude devait avoir dans les 10-11 ans et
elle était en vacances chez sa grand-mère, un village
perché dans l'arrière-pays niçois, quand un gros
orage avait éclaté, provoquant une panne générale d'électricité dans la maison où elle se trouvait
seule. 20 heures, nuit noire, tous les bruits deve-
naient suspects, il lui semblait sentir partout comme
des respirations. Elle avançait en direction de sa
chambre, mains tendues pour éviter les obstacles,
quand quelque chose de mou l'avait enveloppée, et
elle avait hurlé de terreur. Ce n'était que le voilage
d'une fenêtre brusquement ouverte par le vent.

Et ce mardi après-midi, se rendant chez le docteur Armand pour leur troisième rencontre, il lui
semblait revenir à ce moment où elle tâtonnait
désespérément à la recherche de la lumière. Et elle
éprouvait un mélange de hâte et d'appréhension :
tant de bouleversements depuis la dernière fois
qu'ils s'étaient vus. Par quoi allait-elle commencer ?
Sa visite à L'Héliotrope ? L'annonce de sa grossesse ? « Aude, vous êtes une brave ! », ces mots,
qui l'avaient portée, l'accablaient à présent. Où
était la brave lors de la séance chez le docteur
Prévost ?

Elle a choisi le moins difficile.

— Samedi, je suis allée à L'Héliotrope, la maison de mon mari, a-t-elle lancé bille en tête sitôt après avoir pris place dans son fauteuil. Je me l'étais promis en vous quittant vendredi.

Et elle a fait claquer la clé sur le bureau.

Les yeux du docteur Armand se sont agrandis. Il a semblé à Aude y lire une lueur d'admiration et, même si elle n'osait y croire, ça lui a fait plaisir.

— Chez votre mari, avez-vous dit ? N'est-ce pas également chez vous ?

— En dépit des nombreuses preuves, j'ai encore du mal à m'en persuader, a-t-elle tenté de plaisanter en levant sa main portant l'alliance.

Il a pris la clé et tandis qu'il la faisait tourner entre ses doigts, malgré tout, elle s'est sentie récompensée. Elle lui a raconté son arrivée dans le grand jardin fleuri, la fière bâtisse à colonnades, l'accueil chaleureux d'Evangelos, leur échange à la cuisine.

— Quand j'imaginais que la gouvernante m'en voulait, je me trompais complètement, a-t-elle reconnu. D'après lui, elle était tout simplement très attachée à la première femme d'Emerick et ulcérée de me voir la remplacer.

— Béatrice, c'est ça ?

— C'est ça. À la vérité, je ne sais pratiquement rien d'elle, sinon qu'elle avait 18 ans lorsqu'ils se sont mariés et qu'à 22 elle n'était plus là. Il paraît qu'elle était dépressive ; on devait éviter le sujet.

Soudain, elle s'est souvenue d'une photo : une toute jeune femme, presque une enfant. De longues boucles blondes, un regard clair, un visage diaphane. Où l'avait-elle vue ?

Aude a raconté au docteur Armand sa sensation de froid en entrant dans la chambre qu'elle avait occupée avec son mari, la fouille méticuleuse à laquelle elle s'était livrée à la recherche de la clé, son sentiment de culpabilité et l'endroit où finalement elle l'avait trouvée : la salle de bains. La chemise de nuit de dentelle lui est apparue, elle à genoux : Emerick ? Non, non. Elle est passée à son cauchemar, la plaine glacée, la chemise-linceul, la voix de fausset mortellement douce. Rêve et réalité se confondaient. Avait-elle vraiment vu cette chemise, entendu cette voix, éprouvé cette terreur ?

— Quand je me suis réveillée chez ma mère, je n'arrêtais pas de me répéter « C'est fini, c'est fini ». Comme si je n'en étais pas certaine et voulais m'en persuader.

Et alors qu'elle s'était promis de rester maîtresse d'elle-même, sa voix s'est cassée.

— Il y a des fins qui peuvent mener à des commencements, a observé le psychiatre... d'une voix de psychiatre.

Il s'est levé. Il a pris un verre sur le plateau et le lui a tendu. Remarquant qu'il était rempli, ainsi que celui qu'il portait à ses lèvres, elle s'est émue : un signe qu'il lui adressait ? L'eau partagée, un rite confirmant sa promesse de l'accompagner aussi longtemps qu'il le faudrait ?

— Il y a aussi un mot qui me revenait souvent : « immaculée », a-t-elle repris, encouragée. Je ne sais pas pourquoi, il sonnait comme un reproche, presque une menace.

— Une « menace » ? Et comment l'expliquez-vous ?

— C'est forcément tout ce blanc, partout. Peut-être aussi est-ce ce que mon père m'avait dit quand je lui avais demandé de me parler d'Emerick : qu'il m'avait épousée pour ma pureté. J'avais détesté. Sans compter, bien sûr, tous ces lys, ces barrières de lys dans le jardin.

— Vous savez certainement que toutes les fleurs ont une signification, a relevé le médecin. « Belle comme la rose », « Humble comme la violette ». « Orgueilleux comme le glaïeul », dont le nom vient de « glaive ». Et, bien sûr, « pure comme un lys ». La légende voudrait que cette fleur soit le moyen, pour quelqu'un en deuil, d'obtenir son pardon et d'accéder au paradis.

Emerick ! Le nom s'est imposé à Aude, cette fois sans hésitation. Emerick en deuil de sa mère. Emerick en deuil de Béatrice. Les lys plantés pour elles. Pour obtenir quel pardon ?

Machinalement, son regard s'est porté sur le réveil : 15 heures ! Déjà la moitié de son temps écoulé alors qu'il lui semblait avoir seulement commencé à parler.

— Hier, j'ai appris que j'étais enceinte. De deux mois, a-t-elle lancé.

Et elle a fermé les yeux. Pour se protéger ?

Un bref silence a suivi. Puis la voix toujours aussi sereine : « Deux mois ? Êtes-vous certaine que vous ne vous en doutiez pas ? »

Elle lui racontait sa nausée, dimanche, au sortir de son cauchemar, le test, Mathilde et, hier, le docteur Prévost lui confirmant son état. Tout bas, très bas, elle lui dévoilait ce que celle-ci lui avait révélé : son corps presque intact, elle, maltraitée ?

— Et là, j'ai carrément pété les plombs, je suis tombée dans les pommes, a-t-elle tenté de plaisanter.

Le docteur Armand a hoché la tête avec empathie.

— Je connais madame Prévost, une femme bien, très professionnelle. Vous pouvez lui faire confiance. Que vous a-t-elle proposé ?

« Proposé », qu'en termes élégants... Est-ce ce mot ? En elle l'irritation est montée.

— Elle m'a « proposé » de réfléchir avant de décider d'avorter ou non, a-t-elle lancé avec une volontaire brutalité. Comme si j'étais en état de réfléchir à quoi que ce soit alors que je ne sais même plus qui je suis et que je ne suis pas certaine de souhaiter le retour de mon mari !

Mon Dieu, qu'avait-elle dit ? Pas certaine de vouloir le retour d'Emerick ? Et soudain, sans doute aucun, elle a su que c'était la vérité. Non, elle ne voulait pas qu'il revienne. Elle ne voulait plus le revoir. Jamais.

Aux abois, elle a lancé un regard suppliant au médecin. Bien sûr, il allait lui donner une explication, la rassurer. S'il vous plaît !

— Aude, Aude, reprenez-vous. Le docteur Prévost a raison : rien ne presse, vous avez largement le temps de réfléchir à ce que vous désirez vraiment à propos de votre bébé. Je vous fais confiance pour prendre la bonne décision.

Ce sourire tranquille... Cette voix mesurée... C'est, cette fois, une bouffée de colère qui l'a traversée. N'avait-il pas entendu ce qu'elle venait de lui dire ? Elle ne voulait pas du père de l'enfant qu'elle portait. En clair, elle préférait qu'il soit mort. Voilà à quoi il devait répondre, et pas avec des phrases toutes faites.

Son regard est revenu au réveil : 15 h 25, fin de la séance. Comme pour le confirmer, le docteur Armand s'est levé. Il lui a rappelé – rappelé ? – qu'il serait absent le vendredi prochain : Pentecôte et également fête des Mères. Mais bien sûr, comment avait-elle pu l'oublier ? Deux enfants, fille et garçon, le choix du roi... Il partait avec sa famille.

Un instant, elle a espéré qu'il allait lui en parler, lui faire l'aumône d'un petit bout de son intimité, mais non. Il piochait une carte dans le tiroir de son bureau, y inscrivait les dates de leurs futurs rendez-vous. Pour qui s'était-elle prise ? Son prénom prononcé trois fois, deux verres d'eau partagés et elle s'emballait. Pathétique. Elle n'était qu'une cliente, une patiente parmi d'autres, à laquelle, confortablement installé sur son trône de père, calé dans sa chaire de psy, il donnait toute son attention durant deux heures chaque semaine et lui expliquait que les « fins peuvent mener à des commencements », lui faisant confiance pour prendre la bonne décision concernant un bébé dont elle venait d'exécuter froidement le père.

Elle lui a remis l'enveloppe contenant son chèque. 15 h 40 ? Waouh ! dix minutes de rab. Il la précédait dans l'entrée. Tiens, comment se faisait-il qu'elle n'avait jamais croisé le client, le patient suivant ? Un petit espace laissé entre eux par tact ? Mais après tout, ce n'était que leur troisième rendez-vous.

Il lui a souhaité une bonne semaine. A-t-il parlé de soleil ? De détente ? Il lui a serré la main. La porte s'est refermée.

Et comme elle descendait l'escalier, Aude s'est aperçue qu'elle avait oublié la clé sur le bureau : acte manqué ?

13

Assise sur son lit, Aude regarde le portable trouvé à L'Héliotrope, dans la chambre « Topaze ». Voilà déjà quarante-huit heures qu'elle l'a mis en charge. Il devrait être en mesure de parler. Il ne lui fait plus peur. Que pourrait-elle y découvrir de plus douloureux que ce qu'elle vient de vivre dans le cabinet du docteur Armand ?

Elle le débranche et, sans hésiter, forme le code : 1507, sa date de naissance. Elle s'en sert à tout bout de champ et son père s'en amuse : « La meilleure des dates, celle de la venue au monde de ma fille. » Code accepté.

Elle va d'abord sur « messages » : messages reçus, manqués, éléments envoyés. Des noms familiers s'affichent : ses parents, son frère, quelques autres qui éveillent en elle des souvenirs plus ou moins nets. Peu de « messages manqués ». Apparemment, elle n'était pas une fan de la « laisse électronique ».

Puis elle passe à la rubrique « appels ». Son doigt court naturellement sur le clavier : une pianiste connaissant par cœur son morceau. « Appels reçus », « numéros composés ». Là aussi, presque rien. Elle a eu tort de s'en faire : aucun petit animal malfaisant dans ce boîtier. Restent les « appels manqués » : deux seulement. Le premier affiche le nom de son père. Elle va sur sa messagerie et ne peut retenir son émotion en reconnaissant sa voix : « Juste un petit coucou pour dire à ma fille que je l'aime. » Oh, moi aussi, papa !

Le second « appel manqué » n'indique aucun nom, juste un numéro. OK, « rappel ». Une voix lointaine, noyée dans un bruit de fond, lui parvient. Elle met le haut-parleur et colle l'appareil à son oreille. C'est mieux.

« C'est Rémi, dit la voix. Je viens seulement d'apprendre par Basile ce qui t'est arrivé. Oh, mon cœur, de toutes mes forces, je pense à toi. »

L'appel vient d'Égypte, Le Caire. Il a été passé à 17 h 20, le lendemain de l'agression.

14

La convocation de la gendarmerie, demandant à madame Aude Saint Georges de se présenter à la caserne, dans les plus brefs délais, pour affaire la concernant, est tombée dans la boîte aux lettres mercredi matin, et Aude a été soulagée que sa mère soit partie. Pas difficile d'imaginer sa réaction devant le papier bleu, son inquiétude et, bien sûr, son insistance pour s'y rendre avec elle.

Lovée dans le fauteuil du salon, Aude l'a relue sans émotion particulière. Vient un moment où c'est trop, vous n'êtes plus concernée, ça se passe sans vous. Ce moment, elle l'avait atteint la veille, lorsque, au retour de la douloureuse séance chez le docteur Armand, elle avait entendu la voix de Rémi sur son portable, ce « mon cœur » fiévreux qui l'avait frappée en pleine poitrine sans que, pour autant, elle puisse y associer un visage. Combien de fois s'était-elle repassé le message ? Jusqu'à ce qu'elle succombe à un fou rire nerveux qui lui avait tordu le ventre et noyé les yeux. Oui, folle, elle finirait par le devenir si ça continuait comme ça.

Seule lumière dans sa détresse, le retour de Basile en fin de semaine et le souper de fête auquel il les avait conviés, dimanche soir, à la Bastide Saint-Antoine, et auquel, bien sûr, leur père participerait.

Son regard est revenu sur la convocation. Du nouveau concernant son mari ? Une piste ? Après les paroles qui lui avaient échappé chez le docteur Armand, elle se refusait à parler d'espoir.

« Dans les plus brefs délais », était-il indiqué. « Aujourd'hui. Maintenant !

La gendarmerie se trouvait au nord de la ville, une vingtaine de minutes à vélo. Mercredi : jour des enfants. Ils étaient nombreux à virevolter dans les rues piétonnières : skates, trottinettes, rollers, à côté desquels la Flèche faisait figure d'ancêtre. 15 heures sonnaient lorsqu'elle est arrivée. Deux militaires gardaient l'entrée de la caserne. Après avoir attaché son vélo à un poteau, elle leur a présenté la convocation, sa carte d'identité, et ils l'ont laissée passer.

Derrière une sorte de comptoir, une femme en uniforme a vérifié son nom sur une liste avant de lui désigner une rangée de chaises : « Ça ne devrait pas être long. » Aude a pris place. L'atmosphère était détendue, bon enfant. Quelques militaires en pantalon marine et chemisette bleu clair à manches courtes, sur lesquelles s'affichait le mot « Gendarmerie », discutaient autour d'une machine à café, laissant parfois échapper un rire. Aude s'est détendue.

— Madame Saint Georges ? Je suis l'adjudant Serge Fortin.

L'homme qui s'inclinait devant elle avait une cinquantaine d'années, des cheveux grisonnants, un visage jovial. Il l'a entraînée dans une suite de couloirs jusqu'à un bureau sommairement meublé. Deux hautes armoires métalliques remplies de dossiers, une longue table sur laquelle une plante grasse voisinait avec un ordinateur, quelques chaises. Tandis que l'adjudant lui en désignait une, elle a remarqué, sur sa manche, un écusson représentant une balance. La balance de la justice ? En elle, une petite voix a soufflé : « Attention. »

— Alors, comment vous portez-vous, madame ? Des progrès du côté de votre mémoire ? a-t-il demandé avec un gentil sourire.

Elle a secoué la tête :

— Hélas non. Du moins en ce qui concerne le 10 avril.

Le jour de son agression.

Elle a montré l'épais dossier sur la table.

— Et ici ? Du nouveau ?

— Ainsi que vous avez dû l'apprendre, nous sommes allés chez vous pour interroger vos domestiques. Ils nous ont donné la probable explication de votre présence avec votre mari sur les lieux de l'agression. Madame Isabelle Saint Georges, la mère de votre époux, était native de Gourdon, le village juste à côté. Il paraît qu'il s'y rendait souvent.

Isabelle, native de Gourdon ? Aude l'avait-elle su ? Oublié ?

— Nous avons également procédé à la fouille de votre chambre, sans grand résultat, a ajouté le militaire.

Aude a hésité. Devait-elle lui parler de sa propre visite à L'Héliotrope ? La clé qu'elle y avait trouvée ? Mais si elle le faisait, sans doute y retourneraient-ils pour une fouille plus approfondie, à la recherche du coffret que celle-ci ouvrait. Et, dans ce coffret, quoi ?

Elle a regardé la balance sur la manche de son interlocuteur et elle a décidé de se taire.

— À propos de l'agression dont j'ai été victime, je n'ai jamais su exactement à quel endroit elle s'était produite, s'est-elle entendue regretter. « Un chemin isolé », c'est tout ce que l'on m'en a dit. Pourriez-vous m'en apprendre davantage ?

— Si cela peut vous aider... à nous aider, a répondu l'adjudant Fortin.

Du classeur, il a sorti un dossier contenant des photos et en a poussé une devant Aude.

— L'endroit se situe près de Gourdon. Il s'appelle « La Croix Notre-Dame », du même nom que l'église du village. Autrefois, c'était un lieu de pèlerinage. Aujourd'hui, il n'est plus guère fréquenté.

Aude a pris la photo. Au premier plan, au sortir d'une route défoncée, se trouvait la Mercedes, portières avant béantes, vide, poussiéreuse : une épave. « Pauvre Emerick », a-t-elle pensé. Lui, si soucieux de sa voiture et qui refusait que tout autre la conduise. On prétend que, pour certains hommes, leur véhicule serait le symbole de leur puissance, leur virilité. Était-ce son cas ?

Sur un tertre, à quelques mètres de la voiture, se dressait une épaisse croix de pierre vermoulue, envahie par la végétation, fendue par endroits. Oui, il était loin, le temps des pèlerinages ! Enfin, également en piteux état, un muret d'où l'on avait dû jadis admirer le paysage, se donner des frissons en découvrant la falaise surplombant la vallée du Loup. À l'horizon, on pouvait voir Gourdon et son église.

D'un coup, dans la tête d'Aude, des cloches se sont mises à sonner. Instinctivement, elle a plaqué ses mains sur ses oreilles.

— Cet endroit évoque-t-il quelque chose pour vous ?

La voix du militaire l'a ramenée à la réalité. Les cloches se sont tues. Encore troublée, elle s'est contentée de secouer négativement la tête. Avec un soupir, il a remis la photo dans le dossier. En avait-il terminé avec elle ? Elle avait hâte d'être rentrée.

— Autre chose, a-t-il annoncé.

Du classeur, il a tiré cette fois une pochette en plastique numérotée qu'il a levée devant ses yeux.

— Reconnaissez-vous ceci ?

— Mais bien sûr, c'est un mouchoir de mon mari. Il en avait toute une collection, des mouchoirs ayant appartenu à sa mère.

Elle a désigné les initiales visibles sur le côté :

— « I S G », Isabelle Saint Georges, dont nous venons justement de parler.

— C'est ce que nous pensions, a-t-il acquiescé. Nous avons découvert ce mouchoir le matin de l'agression dans un buisson près de la voiture. Nous attendions le résultat des analyses pour vous en parler.

C'était donc la raison de la convocation. Soudain, le militaire semblait gêné. Avant de reprendre la parole, il s'est éclairci la gorge.

— En dehors des empreintes de monsieur Saint Georges, ainsi que des vôtres, nous y avons trouvé de nombreuses traces de sperme. Les prélèvements effectués dans votre chambre ont confirmé qu'il s'agissait bien de celui de votre mari.

Aude a senti monter une nausée. Dans un brouillard, les paroles de la gynécologue lui sont revenues : « Votre mari avait-il des problèmes d'érection ? »

— Pardonnez-moi d'insister, madame, mais ce que je viens d'évoquer suscite-t-il en vous des réminiscences quelconques ?

Au prix d'un gigantesque effort, elle est parvenue à se reprendre.

— Aucune, a-t-elle tranché.

Plus tard, roulant sur son vélo, le visage tendu vers le soleil, l'air doux de mai, un mot ne cessait de tourner dans sa tête : « Libre ». Et elle avait envie de se retourner pour s'assurer que personne ne la suivait.

15

À huit semaines, le visage du bébé se dessine : deux petites saillies pour les yeux, deux fossettes pour les oreilles, une seule ouverture pour la bouche et le nez. Il commence à se soulever, ses jambes sont pliées et ses pieds se rejoignent, ne dirait-on pas qu'il s'apprête à nager ?

Aude regarde le bébé-têtard, yeux clos, suçant son pouce dans sa bulle rosée. Elle a retrouvé sans difficulté le fameux livre de Laurence Pernoud : *J'attends un enfant*. Elle se souvient de sa fascination-répulsion quand, toute jeunette, sa mère lui en montrait les illustrations. Pas le genre de Marie-Ange de la laisser croire qu'elle était née dans une rose ou un chou. Et elle avait également appris, bien avant la plupart de ses copines, comment les bébés viennent dans le ventre des mamans.

« Attendre un enfant, c'est une histoire d'amour. C'est un rêve qui prend forme », le message de l'auteur du livre. Aude s'interroge : où était l'amour avec Emerick ? Où était le rêve ? Comment se faisait-il qu'elle ne conserve de lui aucun souvenir confirmant ce message ? Qu'elle ne garde de son mari que des images sombres ou glacées ? Pour que l'enfant soit là, il avait bien fallu qu'ils fassent l'amour ? Oh, combien elle déteste ce terme qui ne dit que l'acte, l'accouplement, les gestes lubriques, rien de l'abandon magique d'un être à un autre être.

Sa main vient sur son ventre : et voilà qu'il est là, qu'il croît en elle, se nourrit d'elle. « Si j'ai bien compris, cet enfant aura peu de chances de connaître son père », a constaté la gynécologue. Ce père dont Aude sait à présent qu'elle ne veut plus le revoir et qu'en prétendant l'attendre, l'espérer, elle ment à tout le monde, à commencer par elle-même.

Un mois pour décider ! Lorsque les deux petites barres étaient apparues dans la lucarne du test, c'est un gros NON, le nom de la révolte, du désespoir, qui lui était venu. Ce non, elle le réitère aujourd'hui, même si, tout au fond d'elle, continue à monter un cri minuscule de protestation : « Si ». Comme « oui » en italien.

Elle referme le livre, le replace dans la bibliothèque, étagère du bas, rayon « beaux livres illustrés ». Bientôt 18 heures, sa mère ne devrait pas tarder à rentrer. « Dépêche-toi, maman ! » Pour une fois, elle a hâte de la revoir, et tant pis, tant mieux, si ses manières sont parfois brutales, son ton trop péremptoire. En lui « pompant l'air », elle pompe du même coup ce vent de détresse et d'incertitude qui emporte Aude elle ne sait où.

Mais alors qu'elle se dirige vers la salle de bains afin d'effacer autant que possible les traces de cette détresse sur son visage, une sonnerie retentissant dans sa chambre la cloue sur place : le portable sur sa table de nuit. Il ne s'est pas manifesté depuis qu'elle l'a rechargé, mardi. Et tout de suite un nom lui vient : Rémi. Elle hésite. Allons, un peu de courage pour une fois. Elle décroche.

— Coucou, petite sœur, c'est moi !

Son cœur bondit.

— Basile ?

— En personne. Je viens d'atterrir à Nice et mon premier appel est pour toi. On se voit quand ?

— Maintenant ! crie-t-elle.

Il rit.

— Attends ! Je suis à la douane, et dans la soute de mon « ÉgyptAir » se trouvent quelques bricoles que mon cher journal brûle de découvrir. On est même venu me chercher : tapis rouge. Et tu vois, ça m'étonnerait qu'on me lâche avant... avant ? Disons demain après-midi. Tu te sens la force d'attendre jusque-là ?

— Comme si tu me laissais le choix.

La force, si elle l'avait, la ferait sauter dans un taxi, et c'est chez lui, dans son studio à Nice, vue sur la baie des Anges, qu'elle irait l'attendre. Elle y passerait la nuit s'il le fallait.

— Brasserie Chez Laurent, demain 15 heures, ça te va ?

— Ça me va. Ah... si tu appelles maman, surtout tu ne lui dis pas qu'on se voit. Je t'expliquerai.

Un soupir lui répond.

— Comme si je ne la connaissais pas ! Quant à toi, apprête-toi à être dévorée toute crue. En commençant par le blanc. Tu me l'as gardé, au moins ?

Elle riait en raccrochant. Elle ne savait pas que Basile lui avait tant manqué. Elle avait oublié qu'elle l'aimait tellement.

16

Des filles à « dévorer », Basile n'en avait jamais manqué. Sans doute parce que, ne se contentant pas d'être beau, il n'aimait rien tant que de les faire rire, les charrier, leur donner à voir les jolis côtés de la vie plutôt que les sombres. Tout en sachant, lorsqu'il le fallait, se montrer tendre et protecteur. Aude n'en était pas jalouse, elle, c'était pour toujours, alors qu'avec les autres, il filait dès qu'elles manifestaient l'intention de se l'approprier, prétextant qu'il serait un abominable mari. Et quand Marie-Ange lui reprochait de la priver d'être grand-mère, il lui répondait qu'elle serait la plus abominable des belles-mères. Ce qui n'était pas faux.

Pour faire honneur au conquérant, Aude a mis une jolie robe fleurie, des sandalettes à brides et une ribambelle de petits bracelets de différentes couleurs, retrouvés dans un tiroir de sa commode de jeune fille. Rien à voir avec les bijoux de prix découverts dans le coffret de la chambre « Topaze ». Cent fois plus de valeur.

Se regardant dans la glace, elle s'est trouvée pas mal du tout. Et, sa mère n'ayant rien flairé de son état, aucune crainte à avoir du côté de Basile. Elle a décidé de ne pas lui parler du bébé : à quoi bon puisqu'elle ne pense pas le garder ? « Si », a protesté en elle la minuscule voix têtue.

La brasserie n'était pas loin. Elle est partie à l'avance pour mieux savourer le trajet vers un peu de joie, de lumière. 14 h 35, vendredi. Tiens, elle aurait dû se trouver chez le docteur Armand. Un mesquin sentiment de revanche, qu'elle a regretté aussitôt, l'a traversée : « Tant pis pour lui. » Nulle, décidément !

Pont de la Pentecôte : la terrasse de Chez Laurent était pleine. Comme une table se libérait, elle a foncé et, d'emblée, y a posé son portable. En l'activant la veille pour l'appeler, son frère l'avait en quelque sorte dédiabolisé. Et alors qu'Aude avait eu la tentation de s'en débarrasser, le remplacer par un neuf, vierge du passé, elle était résolue à le garder : une petite victoire sur la « froussarde ». Victoire qu'elle avait bien l'intention de doubler en faisant entendre à Basile le message de Rémi.

— Qu'est-ce que je vous sers, mademoiselle ?

Elle a souri au « mademoiselle ».

— Rien pour l'instant, merci, j'attends quelqu'un.

Et comme elle prononce ces mots, un géant vêtu de cuir noir, botté, casque de moto sous le bras, blond, catogan, courte barbe, sac sur le dos, surgit, venant droit vers elle. Elle se lève, il lui ouvre les bras, elle s'y jette. Ils s'étreignent longuement avant que, sous le regard amusé des clients, il l'entraîne dans un p'tit tour de valse au risque de casser la vaisselle.

Quelqu'un a applaudi. Ils avaient retrouvé leur jeu favori, jeu interdit ; s'afficher pour ce qu'ils n'étaient pas : des amoureux. Le grand blond et la petite brune, pas difficile de tromper son monde !

Puis le garçon posait devant eux deux Coca-vodka et une jatte de chips paprika. Basile lui expliquait combien il lui avait coûté d'être au pays des pharaons quand elle avait été agressée. Il aurait tant voulu pouvoir sauter dans le premier avion, venir monter la garde près de son lit, la défendre s'il le fallait. Mais pas moyen quand tu te trimballes une trentaine de bonshommes-bonnes-femmes pour un tournage prévu depuis des lustres, toi reporter-réalisateur ! Bref, elle lui avait pourri son épopée et si elle lui refaisait ce coup-là, elle verrait ce qu'elle verrait.

Et Aude a vu, lorsque la voix de l'inébranlable héros s'est brisée. Il l'aimait donc autant qu'elle l'aimait ?

Puis, son cœur vidé, il s'est seulement autorisé à boire. Et bien sûr, elle l'a suivi, comme quand elle était gamine et qu'elle l'imitait en tout, même en faisant pipi debout, dans l'espoir de le rattraper.

— Et maintenant, à vous, princesse.

Du doigt, elle a frappé son front.

— Moi, c'est là que ça déraille.

Pour expliquer à Basile l'état de son cerveau, elle a employé les mots savants : « période rétrograde », « ictus amnésique », et même celui qu'elle détestait : « confabulation », quand on invente n'importe quoi pour combler les trous. En ce qui la concernait, des trous béants relatifs à son mariage, sa vie avec Emerick. Pour le reste, ça fonctionnait à peu près.

Enfin, elle lui a parlé du docteur Armand, ne gardant que le positif : son écoute, son professionnalisme, sa promesse de l'accompagner aussi longtemps qu'elle le désirerait. Et même si, se souvenant de leur dernière rencontre, sa gorge se serrait, pas question de gâcher avec ses états d'âme ce moment privilégié de retrouvailles, cette lumière heureuse dans les yeux de son frère.

Sur la place, les gens tournaient, nez en l'air, dans le joyeux manège du printemps. Elle sentait, sur ses jambes nues, la caresse du soleil. C'était bien, c'était simple, l'un de ces instants de rien dont on se souvient mieux que des grands.

Une brusque nostalgie a piqué ses yeux. Elle a poussé vers Basile le portable ouvert sur « messagerie » et mis le haut-parleur : « Écoute. » La voix s'est élevée : « Oh, mon cœur, de toutes mes forces, je pense à toi. »

— Eh bien oui, c'est Rémi, a-t-il constaté. Et après ?

— Après, le souci, c'est que je ne me souviens plus de lui.

Il a ouvert de grands yeux.

— Plus du tout du tout ?

— La voix peut-être, un tout petit peu. Mais aucun visage à mettre dessus. Pour le reste, seulement ce que maman m'a dit : « ton meilleur ami ».

— Et frère, a-t-il ajouté. D'autant qu'il est orphelin. Parents disparus dans un accident de voiture, élevé par sa grand-mère. Même école, même lycée, mêmes études avec, au final, le même boulot pour le même canard, le meilleur forcément : *Nice-Matin*. Rémi Fabri comme photographe, ton serviteur comme reporter, réalisateur à l'occasion.

Rémi « Fabri » ?

— À part ça, a terminé Basile, il t'a portée sur ses épaules, il t'a poussée sur des balançoires, il t'a offert des kilos de Carambar, Haribo et compagnie, tout juste s'il n'a pas changé tes couches.

— Il m'appelle « mon cœur ».

— Et alors ?

— Maman assure que c'était mon soupirant.

— Ça t'étonne ?

— Et moi, je soupirais aussi ?

— Pas vraiment. Mais il espérait bien que ça viendrait avec l'âge. Jusqu'au jour où ton Saint Georges t'a kidnappée.

Il a fait mine de chercher autour de lui.

— À propos, toujours dans la nature, celui-là ?

Aïe ! C'est vrai qu'il ne fallait pas compter sur Basile pour cacher ses sentiments. Et il n'avait jamais fait mystère de l'aversion qu'il portait à son beau-frère : ce voleur de sœur.

— Aucune nouvelle, a-t-elle répondu. Confirmé par la gendarmerie.

— Tu les as vus ?

— Avant-hier.

Le mouchoir lui est apparu et la honte a brûlé ses joues. Jamais elle n'oserait lui en parler. Même pas sûr qu'elle en serait capable avec le docteur Armand.

— Mais quel con je suis ! s'est soudain exclamé Basile.

Il a tiré une tablette de son sac et l'a posée devant eux.

— Juste le temps que ça s'ouvre.

Aude a retenu son souffle. Lorsqu'elle avait décidé de faire entendre à son frère la voix de Rémi, elle non plus n'avait pas imaginé qu'il pourrait le lui montrer en chair et en os, lui permettre de placer un visage sur cette voix. Et un espoir mêlé d'appréhension a noué sa poitrine.

Animées par le doigt de Basile, des images se succédaient, des paysages, une ville blanche, un désert, une mosquée, un marché, un groupe. Le doigt s'est arrêté.

— Là, regarde, c'est lui.

Aude s'est penchée.

Appareil photo autour du cou, cheveux bruns, yeux gris derrière les lunettes, visage imberbe, un long garçon dégingandé la fixait d'un air tranquille. Un frisson l'a parcourue : oui ! C'était Rémi. Cette simplicité dans l'attitude, cette intensité dans le regard, cette force intérieure... « Son » Rémi. Mais alors qu'elle aurait dû être heureuse, soulagée de l'avoir retrouvé, c'était comme si une partie d'elle-même refusait de l'admettre.

— Ça y est ? Tu l'as reconnu ?

— Il me semble, a-t-elle bredouillé, luttant contre les larmes.

Et, vite, pour donner le change :

— Il n'est pas rentré avec toi ?

— Bonne question ! Il avait encore quelques clichés à prendre. Sans compter le matos à rapatrier. Il devrait être là d'ici une quinzaine.

Il a ri :

— Je te le présenterai.

17

À quel moment Basile a-t-il prononcé le nom de Béatrice, la première femme d'Emerick ? À quel instant a-t-il, sans le savoir, ouvert une brèche dans la partie la plus obscure de la mémoire d'Aude ? La « zone interdite », aurait-elle pu dire ?

Il avait rempoché sa tablette et Aude s'en était voulue de n'avoir pas osé lui demander de la lui laisser, ne serait-ce que quelques heures, pour pouvoir regarder sans témoin le long garçon un peu gauche au regard paisible : Rémi, « son » Rémi. Elle lui racontait sa visite à L'Héliotrope, le malaise qu'elle y avait ressenti, son envie de fuir, lorsqu'il l'a interrompue :

— Ça t'ennuie si je te parle de Béatrice, ta « prédécesseuse », c'est comme ça qu'on dit ?

— Mais pourquoi ça m'ennuierait ? Vas-y !

— Eh bien, pour le malaise dont tu viens de parler, la mère de Béatrice en rajouterait : pour elle, c'est la baraque qui a tué sa fille.

« La baraque »... Basile avait toujours détesté L'Héliotrope qu'il trouvait prétentieuse avec ses colonnades « à la Versailles » et dont il jugeait l'atmosphère mortifère.

— Comment ça, « tuée » ? s'est-elle rebellée, choquée.

— En provoquant sa dépression.

— Je croyais qu'elle était dépressive avant de se marier ?

— D'après sa mère, pas du tout. Béatrice aurait été au contraire pleine de vie et de projets. Elle se serait laissé piéger.

« Piéger. » Comme un étau a serré la poitrine d'Aude.

— Mais par qui ? a-t-elle demandé plus bas.

— Par Emerick, bien sûr ! Il l'y aurait enfermée après l'avoir coupée de ses amis.

« Pas d'amies, plus d'amies »... s'était désolée Aude après avoir découvert sa grossesse. Et elle s'était rabattue sur Mathilde.

— Toujours d'après Irène, la petite aurait pensé à divorcer, a poursuivi Basile. Apparemment, elle n'en a pas eu la force.

« La petite »... Aude a revu la jeune femme aux boucles blondes et au visage diaphane sur la photo. Pour la première fois, elle s'est demandé si Béatrice avait, avant elle, occupé la chambre « Topaze ». La chemise de nuit de dentelle : la sienne ? Elle a frissonné.

— Comment est-elle morte ? a-t-elle murmuré.

— Une surdose de médocs.

— Tu veux dire qu'elle s'est suicidée ?

— On ne le saura jamais. Un matin, elle ne s'est pas réveillée. Je te laisse imaginer le désespoir de ses parents : leur unique enfant.

— Oh, mon Dieu !

Aude a vidé son verre. Sa bouche était comme du carton. La seule vue des chips paprika la faisait flamber. Basile a sorti une cigarette de sa poche. C'est vrai, il fumait. Autre sujet de discorde avec Marie-Ange.

— Mais comment sais-tu tout ça ? s'est-elle étonnée.

— Tu penses bien que la presse en a fait ses choux gras. À commencer par *Nice-Matin*. D'autant qu'Irène ne s'est pas privée d'accabler son gendre. Et quand elle s'est débrouillée, on ne sait comment, pour qu'elle soit enterrée à Mougins, leur ville, et non dans le caveau familial des Saint Georges à Grasse, ça a fait un sacré pataquès.

— Et son père, tu n'en as pas parlé ?

— Jean-Marie ? Lui, plutôt discret, le contraire de sa femme. Ce qu'on appelle un « grand monsieur ». Dans les assurances, je crois.

Il a passé le doigt sur la joue de sa sœur :

— Tout ça pour vous dire, madame, que lorsque vous avez décidé d'épouser le triste sire, je n'ai pas été franchement enthousiaste.

Il a fait signe au garçon, désignant leurs verres vides : « même chose ». Sur la place, la grande roue du printemps continuait à tourner bruyamment. Aude se sentait emportée dans un tourbillon sans plus rien pouvoir contrôler. Elle a revu le visage de Rémi. Serait-il vraiment bientôt là ? « Je te le présenterai. »

— Est-ce qu'Emerick m'enfermait moi aussi ? s'est-elle entendue demander.

— Tout ce que je peux te dire, c'est qu'après ton mariage, tu t'es faite plutôt rare. On ne te voyait guère que lors des grandes réceptions données par ton parfumeur à L'Héliotrope, madame jouant les maîtresses de maison. Quant aux petites rencontres sympas, celles où on se parle vraiment, ça a été vite terminé. Maman affirmait que c'était normal, lune de miel et tout. Papa et moi, on soupçonnait plutôt ton mari d'être jaloux.

« Vous voilà quand même ! D'où venez-vous encore ? » Le visage courroucé d'Emerick, en haut de l'escalier de marbre, est revenu à Aude. Elle n'avait donc rien inventé ? Elle a regretté de ne pas avoir interrogé Evangelos au sujet de Béatrice. Qu'avait-il dit déjà lorsqu'elle lui avait parlé de Marthe ? Que la gouvernante l'avait élevée et suivie à L'Héliotrope après son mariage. « Il faudra que j'éclaircisse ça », s'est-elle promis. Soudain elle éprouvait, comme une urgence, le besoin d'en savoir davantage sur sa « prédécesseuse ». Il lui semblait que la jeune femme au visage diaphane la suppliait de ne pas l'oublier.

— Basile, pourras-tu me procurer les articles qui ont parlé de cette histoire ? a-t-elle demandé à son frère.

— Attends ! Cette « histoire », comme tu dis, remonte à des années. Et si j'ai bien compris, tu as peu de chances de revoir ton mari. À quoi bon te tourmenter avec le passé ?

— Mais c'est d'avoir oublié ce passé qui me ronge, s'est révoltée Aude. Tu ne comprends donc pas que, pour avancer, j'ai besoin de sortir du brouillard ?

Sa main est venue sur son ventre. Elle a senti les larmes monter.

— Pardon, pardon, ma petite sœur, s'est excusé Basile en claquant un baiser sur sa joue. Tu les auras, tes articles ! Et si je peux faire quoi que ce soit d'autre pour t'aider à avancer, tu le dis.

— Emmène-moi à Gourdon !

Ces mots, Aude les avait criés. Elle a compris que si elle avait demandé à l'adjudant Fortin de lui indiquer l'endroit précis où avait eu lieu l'agression, c'était qu'elle savait qu'il lui faudrait s'y rendre. Quoi qu'il lui en coûte...

— À vos ordres, s'est incliné son frère. Quand ?

— Demain.

Et cette fois, il a dit oui.

18

On appelle Gourdon le « nid d'aigle ». Perché sur son rocher, le village domine la vallée du Loup, fleuve assagi qui serpente dans un paysage verdoyant jusqu'à la mer. L'un des plus beaux villages de France, d'après le dépliant qu'Aude était allée chercher dans une agence de voyages aussitôt après avoir quitté son frère.

Ils étaient convenus de se retrouver le lendemain matin à 10 heures, là où s'arrêtait la zone piétonnière. Pas d'explications à donner à Marie-Ange qui serait chez son coiffeur en prévision du repas de fête à la fameuse Bastide Saint-Antoine où les avait conviées Basile. Aude a espéré qu'il saurait tenir sa langue sur leurs précédentes rencontres.

Il était déjà là, appuyé à son gros cube lorsqu'elle est arrivée. Il lui avait apporté un casque plus costaud que celui qu'elle utilisait sur la Flèche. Après l'avoir embrassée, il l'en a coiffée.

— Parée pour l'aventure ?

— Parée.

Qu'aurait-il pensé s'il avait pu la voir, seulement une heure auparavant, son portable allumé à la main, prête à décommander l'aventure ? Cette nuit, son cauchemar était revenu, en plus sombre, plus glacé, et les cloches sonnaient plus fort, comme un avertissement du Ciel. Ce n'était pas du courage mais de l'héroïsme qu'il lui avait fallu pour quitter l'abri de sa chambre et rejoindre son frère. Mais à présent qu'elle était là, sous sa protection, elle ne regrettait pas.

— En selle, mademoiselle !

Elle a enjambé la moto et, comme il démarrait, sa main est venue sur son ventre en un geste de protection. Il ne manquait plus que celui-là !

Gourdon se trouvait à une quinzaine de kilomètres de Grasse. La route la plus rapide passait par les gorges du Loup : une route sinueuse, longeant le précipice, à déconseiller aux personnes sujettes au vertige. Mais c'était une autre sorte de vertige qu'Aude éprouvait : face au vide de sa mémoire.

Quelle femme portant son nom allait-elle retrouver à La Croix Notre-Dame ? Quelle inconnue, qui, ce matin d'avril, s'y était rendue avec son mari pour un pèlerinage dont il n'était pas revenu ?

Très vite, les murailles de la forteresse médiévale sont apparues, enlaçant des maisons aux murs clairs, coiffées de tuiles rosées, serrées les unes contre les autres sous la protection de l'église. Aude avait lu sur le dépliant qu'autrefois, très autrefois, des soldats en cotte de mailles défendaient les Gourdonnais du haut de ces remparts contre les invasions des Sarrasins. Aujourd'hui, c'était à d'autres envahisseurs, plus pacifiques, qu'ils avaient affaire. Armés de leurs portables ou appareils photo, ils se contentaient de mitrailler leur vie et leur village jusque dans leurs moindres recoins.

Basile s'est garé au parking. Ils avaient décidé de se donner un peu de temps avant d'affronter le « lieu du crime », comme il l'avait baptisé. Et Aude ne lui en avait pas voulu : toute provocation bienvenue qui atténuait son angoisse était bienvenue. Ils commenceraient donc par un tour du village où Isabelle Saint Georges avait vu le jour. Sa belle-mère dont le nom de jeune fille lui échappait, dont elle ne gardait que l'image d'une femme au visage fermé, vêtue de sombre, aux côtés du « roi Édouard », dans le cadre doré d'un tableau suspendu à un mur, dans le salon de L'Héliotrope.

Le bras du « grand blond » passé autour des épaules de la « petite brune », ils ont attaqué la ruelle bordée d'échoppes qui montait vers l'église. Samedi de Pentecôte, ciel bleu, soleil, les promeneurs étaient déjà nombreux à se presser autour des étalages de souvenirs. Des cafés et restaurants montaient de bonnes odeurs de cuisine. Basile a désigné l'un d'eux, d'où s'échappait une musique joyeuse.

— Mission accomplie, je t'invite à déjeuner ici.

« Oh oui, vite ! » a-t-elle prié en elle-même.

De style roman, l'église Notre-Dame était belle dans sa simplicité. Ils y sont entrés et Aude s'est signée. Quelques touristes admiraient les vitraux, des cierges se consumaient devant une statue de la Vierge. Sur ces bancs, Isabelle enfant s'était assise, elle s'était glissée derrière ce rideau pour se confesser, agenouillée devant cet autel pour communier. La pieuse Isabelle à laquelle son fils vouait tant d'admiration et d'amour.

« Votre époux se rendait souvent à Gourdon », lui avait appris l'adjudant Fortin. Aude l'avait-elle accompagné dans cette église ? Pourquoi s'y sentait-elle déplacée ? Fautive ? Comme si, en s'y trouvant, elle enfreignait une interdiction ?

L'horloge sur le fronton indiquait presque 11 h 30 lorsqu'ils en sont sortis.

— Maintenant ! a-t-elle décidé.

« Cinq cents mètres pour La Croix Notre-Dame », avait précisé le gendarme. Inutile de prendre la moto, ils iraient à pied. C'était un sentier envahi d'herbes folles, bordé de buissons poussiéreux, assoiffés. Seul bruit : un bourdonnement d'insectes. Conscient de l'importance du moment pour sa sœur, Basile se taisait.

Lorsque la lourde croix est apparue, Aude s'est immobilisée, le cœur battant. Elle reconnaissait cette pierre grise, sillonnée de pourriture jaunâtre. Elle en a senti la chaleur sur sa paume. Elle s'est vue y appuyant son front. Oui, elle était bien venue là et, en elle, le flot gris de la peur a commencé à monter. Partir... fuir...

Instinctivement, elle s'est tournée vers l'église de Gourdon que l'on apercevait au loin. Quelle heure ? C'est sa montre qui la lui a indiquée : 11 h 45.

— Ça va ? lui a demandé Basile.

Elle s'est contentée d'incliner la tête : surtout ne pas lui montrer ce qu'elle éprouvait. Il serait trop heureux d'abréger l'épreuve, de faire demi-tour. Alors qu'en elle, mêlée à son envie de fuir, une voix lui commandait d'aller jusqu'au bout... quoi qu'il lui en coûte. Elle a revu le restaurant à musique où son frère lui avait promis de l'inviter, une fois la mission accomplie. Quelque chose lui a dit qu'ils ne s'y rendraient pas.

Ils ont repris leur marche. Pas une âme, pas une voix. Si seulement ils avaient croisé un promeneur, un enfant, ne serait-ce qu'un chien, tout en aurait été changé, mais non, lieu désert, lieu maudit ? Ils arrivaient au rond-point.

À gauche de la lourde croix, cette route mal goudronnée était celle qu'Emerick avait empruntée avec la Mercedes. Ces bouts de ruban jaune, dispersés par le vent, avaient dû délimiter la zone du drame. Un peu plus loin, près d'un banc, une poubelle dépourvue de sac. Y pique-niquait-on autrefois ? En face, derrière le muret à moitié éboulé, le point de vue, la dégringolade de rocs jusqu'à la vallée du Loup.

Allons !

Aude a lâché la main de son frère : « Trois minutes, c'est tout », a-t-elle promis. Évitant son regard, elle a marché jusqu'à la croix, appliqué sa paume contre la pierre. Oui ! Et ici, tout près, la voiture aux portières béantes ? À cet endroit pierreux, elle sur le sol, inanimée ? Quelques pas encore, allons, allons. Le banc... la poubelle... Brusquement, le silence s'est fait, la nature a retenu son souffle. En attente de quoi ? Elle a levé les yeux. Des oiseaux noirs tournoyaient dans le ciel avant de plonger dans le vide et réapparaître un peu plus loin. Allons ! Elle est arrivée au muret. Et alors qu'elle se penchait, à l'église de Gourdon, le premier coup de midi a sonné. Boum !

Deux mains enserrent sa gorge. Elles cherchent à l'étrangler. Boum, boum. Elle étouffe, se débat. Non, elle ne veut pas mourir. Boum, boum. De toutes ses forces, elle lance son genou entre les jambes de l'homme au pantalon baissé. Sous la douleur, il vacille et la lâche un instant. Que crie-t-il de cette voix insupportable qui se mêle au son des cloches ? Le voilà qui revient. Alors de ses mains tendues, de toute l'énergie qu'il lui reste, Aude le repousse, encore, encore. C'est à présent tout le ciel qui explose sous le carillon des cloches. Elle court, elle fuit. Son pied bute sur une pierre, elle tombe. Le silence. Plus rien.

Dis, t'en souviendras-tu ?

Elle était étendue sur le sol dans les bras de son frère. Elle entendait sa voix : « Tout doux, tout doux. » Peu à peu, son cœur se calmait. « Tout doux, tout doux. » Elle parvenait à respirer. « Tout doux. » Elle osait ouvrir les yeux.

— J'ai vu mon agresseur, c'était Emerick. Il voulait ma mort alors je l'ai tué.

Deuxième partie

Topaze, pierre des martyrs

19

— Alors, fille indigne, c'est comme ça qu'on laisse tomber son vieux père ? fait mine de s'indigner le haut responsable du musée Fragonard en serrant Aude contre lui. Jean-Baptiste et moi nous préparions à porter plainte.

— La fille indigne attendait le retour de son vieux frère pour se manifester, intervient Basile.

— Quand vous aurez fini avec vos enfantillages, on pourra peut-être s'asseoir, s'impatiente Marie-Ange, perchée sur d'astronomiques talons, près de l'élégante table ronde dont la nappe blanche caresse le sol.

Lorsque Aude et sa mère sont arrivées à la Bastide Saint-Antoine, « leurs hommes » étaient déjà là et les mal élevés ne les avaient pas attendues pour fêter leurs retrouvailles, ainsi qu'en témoignait la bouteille de champagne ouverte dans le seau à glace. Le digne maître d'hôtel leur présente leurs sièges tandis que Basile se charge de remplir les coupes des nouvelles venues.

— À l'enfant prodige ! lance le père au fils en levant la sienne.

— «Prodige », s'empresse de rectifier Basile. C'est doux.

Éclairées par des photophores, la plupart des tables sont prises. Si la nuit ne commençait à tomber, on pourrait apercevoir la mer, au-delà des bougainvilliers, tilleuls et oliviers. Une brise passe. Sur les épaules des femmes, un châle s'impose. Ils sont proposés à l'entrée et, s'ils vous plaisent, vous pouvez les acheter à l'issue de la soirée.

— Allez, raconte-nous ton voyage, ordonne Marie-Ange à son fils. Et on veut tout savoir !

Deux buts à « l'épopée égyptienne » de Basile, ainsi qu'il nomme son reportage. Prendre la température qui règne aujourd'hui au Caire et, autrement palpitant, aller fouiner du côté de Khéops, la grande pyramide, où des scientifiques ont détecté de nouvelles mystérieuses cavités. Renfermant quels trésors ? Entre hier et aujourd'hui, Aude flotte.

Réfugiée dans sa chambre la majeure partie de la journée, elle n'a cessé de se passer et repasser les effroyables images de sa « vision », comme l'appelle Basile, à La Croix Notre-Dame. Les mains d'Emerick serrant sa gorge, elle étouffant, parvenant à se libérer, le poussant de toutes ses forces avant de s'enfuir, buter sur une pierre, s'évanouir. Pour ne rien oublier, elle s'est obligée à noter le moindre détail dans son carnet.

Finalement, Basile ne l'avait pas emmenée déjeuner dans le bistrot à musique. Dès qu'elle avait été capable de marcher, il l'avait soutenue jusqu'à l'arrière-salle d'un café où il l'avait obligée à boire du thé, plusieurs tasses de thé très sucré, la seule chose qu'elle parvenait à avaler sans nausées. Et là, peu à peu, elle lui avait raconté ce que les douze coups de midi, sonnant à l'église de Gourdon, avaient réveillé en elle. Ces mêmes cloches qui, depuis des jours, peuplaient ses cauchemars sans qu'elle puisse se l'expliquer. Eh bien, c'était fait ! Basile ne l'avait pas crue une seconde. Il l'avait même accusée de « confabuler ». Comment, du haut – ou plutôt du bas – de ses cent soixante-six centimètres, aurait-elle eu la force de faire basculer son mari par-dessus le muret ? Sans compter que cette piste avait forcément été étudiée par les gendarmes et que, s'ils avaient trouvé quoi que ce soit, son adjudant le lui aurait dit, non ? À propos de « son adjudant », Aude n'avait pas osé lui parler du mouchoir souillé. Pourtant, si on y ajoutait le pantalon baissé, n'avait-on pas là la preuve qu'elle n'avait pas rêvé ?

Lorsqu'il l'avait jugée en mesure de rentrer à Grasse, il avait récupéré sa moto au parking et le foudre de guerre n'avait pas dépassé les trente à l'heure jusqu'au 19, rue Kalin. Avant de la laisser entrer dans l'immeuble, il s'était assuré qu'aucune fenêtre n'était éclairée au deuxième, que Marie-Ange était bien partie pour sa nouba du samedi soir avec ses copines. Et, une fois dans sa chambre, en un réflexe, Aude avait fermé la porte à clé avant de s'effondrer sur son lit.

Dans cette chambre, quand elle était petite, une de ses distractions favorites était les « cahiers magiques », sur les pages blanches desquels, promenant la mine d'un crayon, on faisait surgir une histoire. Là, le mur d'une maison, ici, un personnage. Tiens, un arbre… un animal… Et, quand tout avait été crayonné, sans oublier les coins, on s'étonnait de ne pas y avoir vu l'histoire avant puisqu'elle s'y trouvait bien.

Ce qu'Aude vivait lui rappelait ces cahiers. Depuis sa sortie de l'hôpital, sur les pages blanches de sa mémoire, des images revenaient, éparses, le plus souvent incompréhensibles, parfois insoutenables, et qui toutes la menaient à un même constat : elle avait tué son mari. Et si elle avait cadenassé sa mémoire, c'était pour ne pas le savoir.

— Hou hou ! Tu es avec nous ? Ça va ?

Son père lui tend un toast orné d'une minuscule crevette coiffée d'un pois de mayonnaise. Au prix d'un gros effort, elle parvient à sourire.

— Ça va, papa.

— C'est Toutânkhamon qui lui fait perdre la tête, constate Basile, la sauvant de nouveau.

Il la ressert de champagne. Elle n'a plus à craindre qu'il ne la trahisse, au risque de blesser leur mère, en dévoilant leurs précédentes rencontres. C'est lui qui l'a suppliée de ne rien dire à personne de sa « vision » avant d'en avoir parlé à son psychiatre. Elle avale quelques gorgées et tant pis, tant mieux si ça tourne. Si elle pouvait, elle rirait : à côté du mystère de la grande pyramide, comme son histoire est dérisoire !

Ils ont attaqué le repas. Au menu : la mer, la terre, le ciel. Ainsi leur a-t-on servi pour commencer un carpaccio de Saint-Jacques, Basile en profitant pour leur vanter la « datte de mer », une sorte de moule à coquille brune, dont les Cairotes se régalent.

Pour la terre, un tajine d'agneau aux légumes nouveaux a suivi, accompagné d'un vin rouge léger.

— Et Rémi ? Tu ne nous en as pas parlé, a soudain remarqué Marie-Ange. Il était bien avec toi là-bas, non ?

— Si ! Il boucle le tournage. Il devrait revenir dans une quinzaine.

— Je suppose que tu seras heureuse de le revoir, a constaté Marie-Ange, s'adressant cette fois à Aude.

— J'espère bien, a répondu Basile pour elle, en lui adressant un clin d'œil malicieux.

— Si nous en revenions à Toutânkhamon ? a proposé leur père, la libérant.

Tout à coup, revoyant le visage de son « soupirant », une sorte de paix l'a emplie : Rémi si calme, si sûr, capable de tout entendre, tout comprendre. Se confierait-elle à lui ? Avec l'assentiment de Basile, bien sûr. Elle a eu hâte qu'il soit là.

« Le ciel » pour dessert : mangue glacée nappée de chantilly, légère, aérienne : un délice.

Le chef passait entre les convives, toque sur la tête, en quête de félicitations. Quelques tables commençaient à se libérer. Aude a réprimé un bâillement.

— J'en connais une qui est pressée de retrouver son lit, a remarqué tendrement Basile.

— Avant d'affronter le triste lundi, a soupiré Marie-Ange.

— Demain est un autre jour, a affirmé gaiement Hervé.

Les pères ont toujours raison.

20

Était-ce possible ? Cela faisait-il vraiment huit jours que, quittant le docteur Armand, Aude avait descendu les marches de cet escalier, le cœur serré par la déception ? Une semaine seulement, alors qu'il lui semblait – et tant pis pour l'expression bateau – qu'un siècle s'était écoulé depuis, que mardi dernier relevait d'une autre vie.

Elle était venue ici dans l'espoir que le psychiatre l'aide à éclaircir les zones d'ombre de sa mémoire. Elle avait vécu dans son cabinet des moments de soulagement, presque de joie, mais aussi de doute. Il lui était arrivé de se demander s'il n'aurait pas été plus facile, moins douloureux, de renoncer. Elle avait même un jour regretté de s'être réveillée après l'agression. De tout cela, elle avait aujourd'hui l'explication : sur le cahier magique de sa vie conjugale, l'histoire se formait, qui la menait irrémédiablement à ce qu'elle avait découvert à La Croix Notre-Dame : elle était la meurtrière de son époux.

Et, montant ces marches, s'apprêtant à sonner à la porte du médecin, comme ils lui semblaient loin, ses états d'âme, dérisoires, ses calculs mesquins sur le temps qu'il lui accordait ! Peu lui importait qu'il ait des enfants, d'autres patients, une vie à lui. Une seule chose comptait : saurait-il l'entendre, l'aider à expliquer son geste, la rassurer ?

Elle a sonné.

— Alors, Aude ? a-t-il demandé avec chaleur en lui tendant la main.

Il avait bronzé. La trace plus claire laissée par la monture de ses lunettes sur son nez et sur ses tempes l'attestait. Pour lui répondre, elle a attendu d'être assise en face de lui.

— Alors, durant ce week-end, j'ai découvert que je n'avais plus à craindre le retour d'Emerick. Pour la simple raison que je l'ai tué.

Cette phrase, elle l'avait préparée, décidée à commencer par le pire afin de s'interdire toute reculade. Elle se l'était répétée en serrant les dents tout au long du trajet. Et voilà que, sur les derniers mots, sa voix s'était brisée : on se croit forte... Au moins ne fuyait-elle pas la réponse, gardait-elle ses yeux droit dans ceux du docteur Armand, prête à accepter le verdict, fût-il de réprobation, pourquoi pas de dégoût ?

Mais, comme lorsqu'elle avait avoué ne pas souhaiter le retour de son mari, il restait calme, imperturbable. Et soudain, une autre angoisse l'a saisie : et s'il ne la croyait pas ? Si, comme Basile, il pensait qu'elle affabulait ? Un cri lui a échappé.

— Docteur, vous DEVEZ me croire, je vous jure que je n'ai rien inventé.

Et enfin il a daigné répondre :

— Jusqu'ici, vous vous êtes efforcée d'aller à la rencontre de vous-même. Il va vous falloir à présent partir à celle de votre époux.

Tout était dit.

Sans regarder une seule fois le réveil, elle lui a raconté le retour de son frère, journaliste, du Caire. La demande qu'elle lui avait faite de l'aider, ce qu'il lui avait appris du comportement d'Emerick et de sa jalousie féroce. Ses révélations sur la mort de Béatrice et le désespoir des parents de celle-ci.

— C'est tout ça qui m'a décidée à me rendre à La Croix Notre-Dame, sur le « lieu du crime », comme l'appelle mon frère.

Et jamais l'humour, « la politesse du désespoir », n'avait si bien mérité son nom.

Restait le plus difficile.

Le visage brûlant de honte, elle a décrit l'homme au pantalon baissé, cherchant à l'étrangler ; elle envoyant son genou entre ses jambes pour se libérer, puis le poussant de toutes ses forces dans le ravin tandis que carillonnaient les cloches de ses cauchemars. Elle a mentionné le mouchoir souillé de sperme trouvé par les gendarmes près de la voiture abandonnée et, s'arrachant les mots ·

— Je crois qu'Emerick m'obligeait à lui faire des fellations.

Tranquillement, le docteur Armand s'est levé. Il a rempli deux verres et lui en a tendu un. Elle a bu avec avidité. Peu lui importait qu'il l'accompagne ou non : elle en avait terminé avec ces enfantillages. Il lui a laissé le temps de se calmer, se reprendre. Son visage avait cessé de brûler lorsqu'il l'a interrogée :

— Et qu'a pensé votre frère de ce que vous venez de me raconter ?

— Il ne m'a pas crue une seconde. Il affirme que je n'aurais pas eu la force de faire basculer Emerick dans le ravin. Par ailleurs, il dit que les gendarmes ont forcément étudié cette piste et que, s'ils avaient trouvé quoi que ce soit, j'en aurais été la première avertie.

Et elle a ajouté :

— Il m'a suppliée de ne pas me dénoncer avant de vous avoir parlé.

— Vous le remercierez de ma part, a dit légèrement le psy.

Et Aude a trouvé la force de sourire.

— Et maintenant, comment vous sentez-vous ?

— Le choc passé, plutôt mieux qu'avant.

Elle lui a raconté les cahiers magiques de son enfance. Allait-elle devoir en ouvrir un autre, concernant cette fois la personnalité de son mari ?

— Pourquoi pas ?

Sans doute est-ce à cet instant qu'Aude a décidé de retourner à L'Héliotrope pour y rencontrer Marthe. Basile ne lui avait-il pas rappelé que celle-ci y avait suivi Béatrice après son mariage ? Par la gouvernante, elle en apprendrait un peu plus sur la façon dont Emerick se comportait avec celle qu'elle avait élevée. À condition, bien sûr, qu'elle accepte de la recevoir.

Elle en a fait part au docteur Armand qui a approuvé.

Plus tard, l'heure écoulée, Aude a sorti de son sac l'enveloppe contenant le chèque destiné au médecin et l'a posée sur le bureau. De son côté, il lui a tendu la clé qu'elle y avait oublié lors de sa dernière visite.

— Au cas où vous jugeriez utile de la montrer à Marthe.

Un conseil ? Un encouragement ?

21

Lorsque, trois semaines auparavant, Aude avait longé l'allée bordée de lys conduisant à la maison blanche à colonnades, quelque chose dans l'atmosphère – une attente ? une menace ? – lui avait rappelé certains films de Hitchcock. Ce matin, poussant de nouveau son vélo pour y rencontrer Marthe, c'était bien sûr à l'héroïne de *Rebecca*, sous l'emprise de la redoutable miss Danvers, qu'elle pensait. Et, une fois de plus, elle se sentait prise entre rêve et réalité, hier et aujourd'hui.

Hier, sitôt rentrée du cabinet du docteur Armand, elle avait appelé L'Héliotrope et n'avait pas été étonnée que ce soit Marthe qui réponde : son boulot. Evangelos aux fourneaux.

— C'est moi, Aude Saint Georges, avait-elle dit d'une voix aussi ferme que possible. Quand pourrions-nous nous rencontrer ?

Et, à son soulagement : « Je suis à la disposition de madame, quand elle voudra et à l'heure qui lui conviendra », avait répondu la gouvernante d'une voix froide – mais tant pis !

— Demain en milieu de matinée ?

— J'attendrai madame.

Madame... madame... Raccrochant, Aude s'était souvenue de sa toute première vision :

elle, cachant dans sa main la mystérieuse petite clé, Marthe, le visage sévère, accusateur. Si la vision se vérifiait, elle risquait de passer un sale moment. Elle s'est promis d'y aller doucement avec ses questions.

Comme elle arrivait près du perron, elle a découvert, sous un abri de bois, une Twingo grenat et, revoyant son permis de conduire dans la chambre « Topaze », elle a soudain senti le grain du volant dans ses paumes.

Son vélo laissé contre un arbre, elle a gravi les marches de pierre. Alors qu'elle arrivait à la porte, celle-ci s'est ouverte sur la gouvernante. Son cœur a bondi : cette longue robe noire, ce regard sombre entre les bandeaux de cheveux gris, c'était bien elle : Marthe, en deuil de Béatrice.

Elle s'est reprise et lui a tendu la main.

— Bonjour, Marthe.

— Bonjour, madame, veuillez entrer.

Et, ignorant sa main, celle-ci s'est effacée pour la laisser passer.

« Madame Emerick, enfin ! »... Quelle différence avec l'accueil chaleureux d'Evangelos lors de sa première visite ! Était-il au courant de sa venue ? Le verrait-elle ?

Alors que, dans le hall, elle retirait son blouson, la gouvernante s'en est emparée et l'a suspendu à un cintre derrière une porte discrète. Instinctivement, Aude a plaqué sa main sur la poche de son pantalon : la clé s'y trouvait bien.

— Où pourrions-nous parler tranquillement ?

— C'est à madame de voir, elle est chez elle.

— Eh bien, allons dans le bureau, a-t-elle répondu, résignée.

Si elle s'en souvenait bien, la « pièce de la télévision », tout au bout du salon.

Traversant lentement celui-ci, elle a reconnu le tableau représentant Isabelle Saint Georges aux côtés de son mari : elle discrète, effacée, lui le menton haut, conquérant. Sa belle-mère qu'elle n'avait pas connue, son beau-père qu'elle devrait rencontrer prochainement.

Le bureau était sommairement meublé : une bibliothèque pleine de livres reliés, une table aux pieds en griffes de lion et, devant le poste de télévision, quelques fauteuils d'époque. Elle a pris place dans l'un d'eux, en a désigné un autre à la gouvernante qui, après une brève hésitation, s'est exécutée.

— Vous savez certainement qu'à la suite de l'agression dont j'ai été victime le mois dernier, j'ai perdu une partie de ma mémoire, a-t-elle commencé. Je suis venue ici dans l'espoir que vous m'aidiez à retrouver certains souvenirs, notamment ceux concernant mon mari.

Brusquement, Marthe s'est raidie.

— Je crains de ne pouvoir être d'un grand secours à madame. Nous n'avions que des rapports lointains, a-t-elle laissé tomber d'une voix glacée.

— D'après ce que j'ai entendu dire, vous seriez entrée ici avec sa première femme, Béatrice de Menthon ?

Et, comme Aude prononçait ces mots, une telle souffrance, un tel désespoir se sont inscrits sur le visage de la gouvernante qu'instinctivement elle s'est emparée de ses mains.

— Marthe, je sais combien vous étiez attachée à elle et je n'ignore pas tout le mal qu'il lui a fait.

— Tout le mal ? a crié son interlocutrice en retirant ses mains. Tout le mal ? Sachez que si ma petite n'avait pas rencontré monsieur Emerick Saint Georges, elle serait encore en vie.

D'un seul coup, elle s'est levée : entretien terminé ?

— Je vois que je n'ai rien proposé à boire à madame, veuillez m'excuser un instant. Et elle a disparu. Elle s'est enfuie ?

Saisie, Aude est restée quelques secondes immobile, le cri de douleur résonnant encore dans ses oreilles. Ce matin, venant à L'Héliotrope, elle s'était préparée à rencontrer une adversaire, voire une ennemie. Et voilà qu'elle se retrouvait face à une femme brisée par la mort de « sa petite ». Et elle n'éprouvait plus qu'une immense pitié et le désir de l'aider.

À son tour, elle s'est levée. Elle est allée ouvrir grand la fenêtre. Se retrouvant devant la barrière de lys, elle a reculé : « Oh, non ! » Les paroles du docteur Armand lui revenaient : « Le lys, le moyen, pour quelqu'un en deuil, d'obtenir son pardon. » Que se reprochait Emerick si fort qu'il lui fallait en planter partout ?

Elle s'est tournée vers la bibliothèque : rien que des livres reliés, des livres d'apparat ? Passant le doigt sur le renflement de cuir, elle s'est souvenue de la *Divine Comédie* de Dante, superbement illustrée, qu'elle avait étudiée au lycée et dont l'héroïne, Béatrice, traversait les flammes de l'enfer avant de parvenir au paradis. « Arrête d'extrapoler, s'est-elle ordonné. Si tu continues, tu vas devenir folle. »

Elle a repris place dans son fauteuil. Que faisait Marthe ? Avait-elle pris prétexte de lui offrir à boire pour se sauver ? N'avoir plus à affronter ses questions ? Elle qui s'était promis de se montrer patiente, y était-elle allée trop fort ?

111

Mais alors qu'elle s'apprêtait à partir la chercher, la gouvernante est réapparue, portant un plateau avec un verre et un carafon de jus de fruits. Elle a rempli le verre et le lui a tendu. Et, comme leurs regards se croisaient, voyant ses yeux rougis, Aude a compris qu'au contraire Marthe éprouvait le besoin éperdu de parler, vider son cœur.

Après avoir bu quelques gorgées, elle a pris les devants :

— J'ai fait la connaissance d' Emerick Saint Georges il y a trois ans par le plus grand des hasards, au musée Fragonard où travaille mon père. J'avais 20 ans. Il était très séduisant, j'ai été flattée qu'il s'intéresse à moi et, quand il m'a demandée en mariage, j'ai accepté sans vraiment réfléchir. Je n'ai compris mon erreur qu'il y a peu.

— Quand ma petite a rencontré monsieur Saint Georges, elle n'avait que 17 ans et ne connaissait rien à la vie, a enchaîné Marthe. Que l'homme vanté partout, le créateur de « L'eau bleue », son eau de toilette préférée, s'intéresse à elle l'a grisée.

— 17 ans ! Et ses parents ne se sont pas opposés au mariage ?

— Elle était majeure quand elle l'a épousé. De toute façon, elle ne les aurait pas écoutés. Elle reprochait à sa mère d'être trop autoritaire et à son père de filer doux.

De nouveau, le visage de Marthe s'est empli de haine.

— Comment aurait-elle pu se douter de ce qui l'attendait ? Ce monsieur cachait remarquablement son jeu. La seule chose que j'ai pu obtenir a été de la suivre.

« Ce monsieur... » Quel mépris ! Aude a revu Emerick s'avancer vers elle dans la salle du musée

Fragonard. Elle a entendu sa voix charmeuse : « Une si jolie personne. » Ne s'était-elle pas, elle aussi, laissé prendre ?

— Marthe, pardonnez-moi cette question : certains n'ont-ils pas prétendu que Béatrice était dépressive ?

— Et puis quoi encore ? s'est écriée la gouvernante. Elle était amoureuse de la vie. C'est la jalousie féroce de son mari et son enfermement dans cette maison qui l'ont rendue malade. Craignant mon influence, il s'est très vite arrangé pour que nous nous voyions le moins possible et surtout jamais seules. Dans ces conditions, comment vouliez-vous qu'elle s'en tire ? Bien sûr, je tenais madame de Menthon au courant. Les derniers mois, elle était prête à venir l'arracher de force à son bourreau. Je l'y aurais aidée. Son mari s'y est opposé. Que ne l'avons-nous fait quand même !

« Son bourreau. » Le regard de Marthe suppliait Aude de la croire. Il lui a semblé que le moment était venu de lui manifester sa confiance. Sa main est allée à sa poche.

— Marthe, cette clé vous dit-elle quelque chose ?

22

D'origine végétale comme le diamant, l'ambre est, de l'avis des spécialistes, la reine des pierres précieuses ainsi que la plus mystérieuse. À la magie de son éclat s'ajoutent de nombreuses vertus médicinales. Pour la posséder, certains peuples n'ont pas hésité à se faire la guerre. Appelée « pierre d'amour », la plus célèbre d'entre elles est d'un blanc irisé, changeant, diaphane.

La chambre d'Isabelle Saint Georges en portait le nom. Elle se trouvait tout au bout du couloir, et, longeant celui-ci à la suite de Marthe, Aude se demandait si elle y était déjà entrée, si elle la reconnaîtrait.

La porte ouverte, elle s'est figée, impressionnée. Sur les tables de nuit brillaient des lampes flammes dont la lumière secrète, s'ajoutant à celle de photophores disposés çà et là, vous donnait l'impression de pénétrer dans une chapelle. Une odeur verte, suave, entêtante, montant de brûle-parfums de céramique blanche, baignait la pièce : une odeur de lys !

— Depuis la mort de madame Isabelle, Evangelos a pour consigne de ne jamais laisser la pièce dans l'obscurité, a expliqué Marthe à mi-voix, prise, malgré elle, au piège de la chambre-chapelle d'une mère à laquelle Emerick ne se cachait pas de vouer un culte.

La porte refermée, tout naturellement, Aude s'est dirigée vers la lourde commode, recouverte de marbre gris veiné de rose. Devant une pendule au battant mouvant, affichant 11 h 30, trois photos encadrées étaient à l'honneur. Celle du centre représentait une jolie femme au visage triste, tenant la main d'un petit garçon : Isabelle et son fils. À gauche, Aude, en robe claire, seule dans le jardin. À droite, une très jeune femme aux boucles blondes et au visage diaphane. C'était donc dans cette chambre qu'elle avait vu le portrait de Béatrice. Elle y était bien venue.

— Madame ?

Elle s'est redressée. Sur la même commode, un peu plus loin, Marthe lui désignait un petit coffret ancien, incrusté de coquillages. Aude s'en est approchée, retenant son souffle. Ce moment, elle l'avait tellement attendu tout en le redoutant. Les doigts tremblants, elle a introduit la clé dans la serrure et soulevé le couvercle.

Une vague de scintillements de toutes les couleurs l'a éblouie. Le coffret était plein à ras bord d'éclats de pierres précieuses : rubis, émeraudes, saphirs, diamants... N'était-ce pas le mari d'Isabelle qui avait eu l'idée de donner leurs noms à ses parfums, Emerick se contentant d'inventer la fragrance « Topaze, l'eau bleue » ?

Emerick, la clé, la chambre « Topaze ». Ambre : pierre d'amour...

Soudain, il fait nuit. Seule une veilleuse éclaire le lit où Aude est étendue près de son mari profondément endormi. Ce soir, il a pris double dose

de somnifère. Ses ronflements l'écœurent, comme
le reste. Il lui faut plusieurs minutes pour sortir du
lit tant elle a peur de le réveiller. C'est fait. Vite !
De la poche intérieure de sa veste, suspendue à un
portemanteau, elle sort deux clés, une grande et une
petite. Puis elle passe dans la salle de bains dont
elle a laissé exprès la porte entrouverte avant de
se coucher et, sous les serviettes-éponges, récupère
l'enveloppe cachée cet après-midi. À présent, pieds
nus dans le couloir, elle court, le ventre noué par
la terreur. Et si, dans son dos, elle entendait le pas
de son mari ? Sentait son souffle sur sa nuque ?
Vite, vite. La voilà à la chambre « Ambre » dont
elle ouvre la porte avec la plus grande des clés.
Sur la commode, la pendule indique 1 heure du
matin. Dans le coffret, ouvert avec l'autre clé, elle
enfouit l'enveloppe sous le ruissellement de pierres,
referme, fait demi-tour, court de nouveau jusqu'à la
chambre « Topaze » où Emerick dort toujours. Après
avoir remis la clé de la chambre d'Isabelle dans la
poche de la veste de son mari, elle glisse celle du
coffret entre les serviettes-éponges de la salle de
bains. « Mon Dieu, sauvez-moi », supplie-t-elle en
reprenant place dans le lit.

— Madame ?
La main de Marthe frappait son épaule. Aude a
rouvert les yeux. Au prix d'un immense effort, elle
a plongé ses doigts dans le scintillement et en a
sorti l'enveloppe. Cette fois, elle a laissé la clé sur
le coffret. Avant de quitter la chambre, elle s'est
obligée à s'approcher du lit. C'était bien une chemise de nuit de dentelle qui y était disposée, prête
à servir. Et elle ne doutait pas que si elle avait un
peu cherché, elle y aurait trouvé les initiales I S G.

— Souhaitez-vous demeurer seule un instant ? a demandé Marthe à Aude lorsqu'elles se sont retrouvées dans le bureau.

Un cri lui a échappé.

— Oh non, Marthe ! Je vous en prie, restez.

Dans le regard de la gouvernante, elle a vu de la compassion, et elle s'est rapprochée d'Aude comme pour la soutenir. « Bien sûr, elle sait », a pensé celle-ci.

De l'enveloppe, elle a sorti la carte, datée du 9 avril, veille de l'accident. Et comme elle lisait les mots écrits de sa main, il lui semblait les connaître par cœur.

« Ce soir, j'ai annoncé à mon mari mon intention de le quitter. Si vous trouvez ce message et que je ne suis plus là, c'est que j'aurai subi le sort de Béatrice. »

Marthe avait lu en même temps qu'elle. Sur son visage déformé par la haine, les larmes ruisselaient.

— Votre mari était fou, madame, a-t-elle grondé.

Son amour insensé pour sa mère, la détestation de son père qui la trompait au vu et au su de tous et qu'il rendait coupable de sa mort l'avaient rendu impuissant.

Et, en un sanglot : « Ma petite était vierge lorsqu'elle est partie. »

23

Béatrice, vierge.

Emerick et son trop grand attachement à sa mère.

L'ambre : pierre d'amour.

Une jalousie maladive.

L'Héliotrope : « pierre de sang », dite aussi « pierre des martyrs ».

Isabelle, Béatrice, Aude.

Le lys : « un moyen pour quelqu'un en deuil d'obtenir son pardon ».

Emerick en deuil de sa mère.

« Vos rapports avec votre mari devaient être rares et certainement difficiles, voire violents. »

Aude en chemise de nuit de dentelle, agenouillée devant son mari, sa main pesant sur sa tête.

« On a retrouvé un mouchoir sur les lieux de l'agression. Les analyses ont révélé qu'il s'agissait bien du sperme de votre mari. »

Emerick, impuissant, trouvant son plaisir dans des fellations imposées.

« Oh, mon cœur, de toutes mes forces, je pense à toi ! »

Et si ?

24

Si l'émotion qu'Aude avait ressentie en voyant apparaître le visage de Rémi sur la tablette de Basile... Si elle se sentait moins seule et comme apaisée chaque fois qu'elle pensait à lui... Si la petite voix qui montait du fond de son ventre et protestait lorsqu'elle pensait à avorter... était celle de l'enfant qu'elle portait, celui de son « soupirant » ? Si c'était grâce à Rémi, forte de son amour, qu'elle avait décidé de quitter son mari et trouvé le courage de le lui annoncer ? Non sans prendre la précaution de laisser un mot dans le coffret au cas où elle subirait le sort de Béatrice, cette jeune femme dont elle s'était sentie proche, comme d'une sœur d'infortune, quand Basile lui en avait parlé.

Elle a appelé son frère. Où en était-il de ses recherches ? Avait-il progressé ? Pouvait-elle passer le voir à Nice, le plus tôt serait le mieux ?

Oui, il avait déjà rassemblé pas mal de munitions. Il serait chez lui aujourd'hui en fin d'après-midi : 18 heures, l'heure du Coca-vodka, ça lui allait ? Et même si Aude aurait voulu pouvoir y courir dans la seconde, elle a répondu OK.

Alors qu'à midi elle s'obligeait à manger un sandwich, son père l'a appelée. Il l'avait trouvée soucieuse au dîner à la Bastide, le dimanche précédent.

119

« Surtout, si tu as besoin de parler, n'oublie pas que je suis là. » La gorge serrée, elle l'a remercié et lui a promis qu'un de ces jours elle passerait lui faire un petit coucou chez « son Jean-Baptiste ». En raccrochant, elle avait les larmes aux yeux. Quand aurait-elle le courage de tout lui dévoiler : sa découverte à La Croix Notre-Dame, la folie d'Emerick, l'enfant qu'elle portait ? C'était tellement énorme. Machinalement, elle a posé sa main sur son ventre comme elle l'avait fait tant de fois auparavant, certaine qu'il s'agissait de celui d'Emerick. « Sois l'enfant de l'amour », a-t-elle prié. On a bien le droit d'être un peu fleur bleue quand on a tué son conjoint !

Elle a pris un taxi vers 17 h 15. Le temps avait brusquement changé. Une petite pluie fine, serrée, têtue, noyait le paysage. Ça lui allait. Il arrive qu'un ciel trop bleu vous apparaisse comme une offense. Durant tout l'après-midi, elle s'était torturée en se demandant comment Basile accueillerait ses lourdes confidences et surtout l'annonce de sa grossesse et la conclusion à laquelle elle était arrivée : très probablement l'enfant de son meilleur ami. Jamais encore elle n'avait abordé le sujet de sa sexualité avec lui. Répondrait-il comme toujours par une plaisanterie ? Il lui semblait qu'elle ne le supporterait pas.

La mer était comme une plaque d'étain sur laquelle rebondissaient les larmes du ciel. Depuis combien de temps n'y avait-elle pas trempé ses pieds ? Elle s'est promis de descendre sur la plage avant de rentrer à Grasse et ce rendez-vous qu'elle se donnait l'a réconfortée.

À 18 heures pile, le taxi l'a laissée au pied de l'immeuble moderne, donnant sur la baie des Anges, où, dès qu'il avait gagné quelques sous, son frère avait loué un studio : soixante-dix mètres carrés, transformés en loft. Sa moto était garée non loin, casque attaché an guidon. Montant lentement les trois étages, Aude se souvenait de son propre émerveillement en découvrant la vue sur la mer cobalt où dansaient les voiles sous les bruyantes acclamations des mouettes. La porte était entrouverte. Avant de la pousser, elle a pris une longue inspiration. Tiens, Mathilde ! Elle s'est promis de l'appeler. Elle est entrée.

Perché sur un tabouret devant la longue planche sur tréteaux qui lui servait de table de travail, son frère l'a saluée :

— Ma petite sœur va bien ?

— Ce sera à toi d'en juger, a-t-elle répondu crânement.

Après être allée côté chambre jeter son blouson sur le lit, elle l'a rejoint, slalomant entre les piles de dossiers et les journaux, le joyeux ordre-désordre que nul n'avait le droit de troubler, sans doute la raison pour laquelle Basile répugnait à convier ses petites amies chez lui. Aude l'a embrassé. Puis elle s'est juchée sur le tabouret voisin. Il a poussé devant elle une pile de quotidiens et une autre de photos.

— Voilà le travail. Et ce n'est qu'un début !

Parmi les photos, il y en avait plusieurs de Béatrice, dont l'une prise avant son mariage : 15, 16 ans ? Elle s'en est saisie.

— Basile, j'ai à te parler, c'est grave. Jure-moi de ne pas te moquer.

Il l'a regardée et il a compris. Il avait toujours su ne pas aller trop loin.

— Juré.

Elle l'a remercié des yeux.

— Hier, je suis retournée à L'Héliotrope.

Elle a raconté sa rencontre avec Marthe et tout ce que celle-ci lui avait révélé sur Béatrice : prisonnière, humiliée, son innocence massacrée. C'était moins difficile qu'elle ne l'avait craint. Sûrement grâce à la photo qu'elle tenait entre ses doigts : celle de la « petite », amoureuse de la vie, que la gouvernante lui avait décrite.

— Irène de Menthon voyait juste, c'est bien son gendre qui l'a tuée. Comme il a failli le faire avec moi.

Et elle lui a tendu la carte trouvée dans le coffret. Après l'avoir lue, il s'est levé, indigné, furieux.

— Le salaud. Crois que, s'il a le malheur de réapparaître, c'est moi qui l'explose !

Et elle s'est retenue de dire qu'il ne réapparaîtrait pas.

Avant d'aborder le sujet de sa grossesse, elle a éprouvé le besoin d'une pause.

— Je me trompe où tu avais parlé d'apéritif ?

Sans cesser de fulminer, Basile est passé au coin cuisine. Il en est revenu avec Coca, vodka, glaçons, chips et deux verres dans un panier chapardé au supermarché. Il a procédé au mélange, ajouté les glaçons et tendu son verre à Aude qui l'a levé.

— Au plus merveilleux des frères.

Et, prenant son courage à deux mains :

— Pour moi, pas plus de deux gorgées. L'alcool m'est interdit. Je suis enceinte.

Après une seconde d'incrédulité, Basile a bondi.

— Comment ? En plus, ce salaud t'a fait un enfant ?

— Rassure-toi, je pense que c'est plutôt celui de Rémi.

Profitant de la sidération de son frère, aidée par le comique de la situation – la vraie comédie de boulevard –, elle lui a parlé de l'impuissance de son mari et des seuls jeux sexuels auxquels il était capable de se livrer. Puis elle s'est tue, attendant avec inquiétude sa réaction.

— Waouh ! On appelle l'heureux père pour lui annoncer la super nouvelle ? a-t-il crié en brandissant son portable.

— Basile...

La main est retombée.

— Pardon, c'est vrai, j'avais promis.

Elle a réprimé un sourire : comment lui en vouloir ? Une super nouvelle en effet.

— Moins super, je n'ai aucun souvenir de l'heureux père ni de nous deux sous la couette. Crois-tu que nous aurions pu nous y retrouver en cachette ?

— Mais je n'en sais rien ! Rémi est une tombe. Et je suppose que c'était secret défense. En tout cas, tu peux me croire, il va être aux anges.

— À condition que l'ange soit bien de lui.

— Je suppose que la science a trouvé le moyen de s'en assurer.

Elle a entendu la voix du docteur Prévost : « Quelle que soit votre décision, je serai là pour vous aider. »

Basile a entouré ses épaules de son bras :

— Quoi qu'il arrive, tu peux compter sur moi.

Puis ils sont passés à la presse.

Elle se composait, pour l'essentiel, d'interviews d'Irène de Menthon faites après le décès de sa fille. Et toutes confirmaient les paroles de Marthe : la mère accusant son gendre d'avoir provoqué sa mort en la coupant du monde, la retenant prisonnière à L'Héliotrope par sa folle jalousie.

123

Les photos accompagnant les articles montraient une forte femme au visage carré, détruit par la douleur, enflammé par la colère. À ses côtés, son mari, un homme long, fin, distingué, aux cheveux gris, le visage caché par de larges lunettes teintées, semblait, au contraire, tenter de disparaître.

— Tout « grand monsieur » qu'il est, paraît-il, c'est clairement madame qui porte la culotte, a constaté Basile.

L'ensemble des clichés avaient été pris à Mougins, berceau de la famille, village qu'Aude connaissait bien pour s'y être souvent rendue avec son père, lui attiré par le musée d'Art classique, elle par le parc de la Valmosque où toutes sortes d'animations étaient proposées. Entre autres lieux, on voyait l'église Saint-Jacques-le-Majeur où Béatrice s'était mariée, avant, trois années plus tard, de s'y retrouver dans son cercueil. Même saison, même ciel bleu, mêmes arbres en fleurs. Sur la place de l'église, une foule joyeuse de toutes les couleurs pour les noces, une foule silencieuse en noir pour les obsèques, en un scandaleux raccourci de la vie.

Aude a montré la pile de documents à son frère.

— Je peux t'en emprunter quelques-uns ?

— Ils sont à toi. Et sache que je n'en ai pas terminé avec ta Béatrice.

« Sa » Béatrice. Oui !

Elle n'est pas descendue sur la plage. Trop de sanglots auraient brouillé le paysage.

À l'école, elle était invariablement dans le camp des rase-murailles. En vacances à la campagne chez sa grand-mère, elle voyait des fantômes partout dans la maison.

— J'ai accepté sans rien dire toutes les horreurs que m'infligeait mon mari. Je me suis agenouillée à ses pieds dans tous les sens du terme durant plus de deux ans sans me révolter, a-t-elle continué avec désespoir. Personne ne m'empêchait de fuir. Contrairement à Béatrice, ma chambre n'était pas fermée à clé.

— La honte, Aude, constate le docteur Armand. La honte dévastatrice provoquée par des traitements indignes dont votre mari avait, très probablement, réussi à vous persuader que vous les méritiez. Jamais assez pure, sans tache, immaculée...

Il lui a tendu la carte portant son écriture.

— Vous avez trouvé la force de lui dire que vous alliez le quitter. D'autres l'auraient fait en douce.

— Une belle erreur ! Qui m'a conduite à La Croix Notre-Dame. Certainement pas de la force, de l'inconscience.

— Vous n'aviez pas pris la mesure de sa folie.

« Votre mari était fou, madame. Son amour insensé pour sa mère... »

— Marthe affirme que tout vient de la mère d'Emerick, Isabelle.

— Sans doute avait-il fait d'elle une sainte et se reprochait-il de n'avoir pas réussi à la sauver, la soustraire à un père qu'il considérait comme son bourreau. Devenant lui-même bourreau avec des femmes incapables de la remplacer. Ne trouvant son plaisir qu'en les humiliant.

Comme, expliqué ainsi, tout devenait clair, presque limpide.

Avec un sourire, le médecin a désigné les verres.
— Permission de boire ?

Restait à Aude à lui parler de Rémi. Lors des précédentes séances, elle avait plusieurs fois été sur le point de le faire, avant de se raviser. Refusant de s'avouer à elle-même l'importance qu'il avait pour elle ?

— À propos de mon bébé, je ne pense pas que mon mari en soit le père. Ce serait plutôt le meilleur ami de mon frère, a-t-elle lâché d'un trait.

Et, devant le sursaut du docteur Armand, la brève incrédulité dans son regard, elle a éprouvé le trouble plaisir d'être parvenue à l'étonner. Non, il n'était pas infaillible.

Cette fois sans honte aucune elle lui a raconté l'attachement, l'amour que, selon Basile, Rémi Fabri, journaliste comme lui, lui portait depuis l'enfance. Son émotion en entendant sa voix sur son répondeur et, plus tard, le choc qu'elle avait ressenti en le voyant en chair et en os, sur la tablette de son frère. Le soulagement, la sorte de paix qu'elle éprouvait chaque fois qu'elle pensait à lui, et la drôle de petite voix qui protestait du fond de son ventre quand elle envisageait d'avorter.

Et, tandis qu'elle parlait, pour la première fois, elle a senti la chaleur d'un corps contre le sien, de bras qui l'entouraient.

— Alors, bien sûr, j'ai décidé de le garder, a-t-elle conclu.

— Et je suppose que vous vous sentez beaucoup mieux, s'est contenté d'observer le docteur Armand avec un sourire.

— Infiniment.

Dis, t'en souviendras-tu ?

Décidément, elle adorait sa façon d'accueillir les choses si simplement et sans jamais juger.

Pour en revenir à « miss Froussarde », elle lui a avoué qu'elle n'en menait pas large à l'idée d'annoncer la nouvelle à son « soupirant ». Au moins espérait-elle que lui se souviendrait d'avoir soupiré dans ses bras.

Il a ri.

— Allons ! Vous vous en tirerez très bien. Pour la brave que vous êtes, un jeu d'enfant.

26

Pour commencer, la brave a arraché du mur de sa chambre les photos dont sa mère l'avait tapissée dans l'espoir de réveiller sa mémoire : Aude au berceau, baptême d'Aude, Aude à l'école, Aude jeune fille. Et le clou, l'apothéose, le feu d'artifice, au choix : Aude en robe de mariée posant au bras de son mari sur le parvis de la cathédrale Notre-Dame-du-Puy.

Ce faisant, elle a éprouvé une sombre jouissance : fini, « Le Désert des Tartares », la vertigineuse attente qui, dans le livre de Dino Buzzati, se terminait par la mort du héros devenu fou. Son désert à elle s'était repeuplé, elle avait retrouvé presque la totalité de ses souvenirs et décidé que ce serait à présent pour Béatrice qu'elle se battrait.

Elle se souvenait de ce que l'on disait des survivants d'une catastrophe. Se sentant coupables d'avoir, eux, survécu, ils consacraient le reste de leur existence à lutter pour que pareil drame ne se reproduise plus, comme s'ils avaient une dette à payer à ceux qui n'avaient pas eu leur chance. Aude avait épousé le même tyran que Béatrice, subi, dans une même demeure, les mêmes ignominies, mais elle sans y laisser sa vie. Elle paierait sa dette en s'employant à faire toute la lumière sur le calvaire de sa lointaine petite sœur et les circonstances de sa mort.

Quand a-t-elle décidé de se rendre à Mougins pour y rencontrer le père de la jeune femme ? Son père, certainement pas sa mère qui, Aude en était convaincue, n'accepterait jamais de recevoir celle qui avait succédé à sa fille, quand bien même ce second mariage s'était, lui aussi, terminé de façon dramatique. Le rencontrer pour en savoir plus sur l'enfance de la « petite », sa personnalité, son caractère, afin de mieux comprendre comment la jeune fille pleine d'enthousiasme et de vie, décrite par Marthe, avait pu, sans réagir, se laisser martyriser jusqu'à la mort ? La « honte dévastatrice » évoquée par le docteur Armand ne lui suffisait pas. Meurt-on de honte autrement que dans les romans ? Pourquoi l'homme qui avait tenté de la tuer, elle, n'aurait-il pas agi de même avec Béatrice ?

Cherchant les coordonnées des Menthon dans les vieux annuaires conservés par sa mère, ainsi que sur Internet, elle n'a rien trouvé. Et si elle s'adressait à son frère ? Lui n'aurait aucun mal à se les procurer, s'il ne les possédait pas déjà. Mais, prévoyant sa réaction : « À quoi bon te tourmenter avec le passé ? », redoutant qu'il n'insiste pour l'accompagner, elle a renoncé.

Et décidé de se rendre dès le lendemain matin, samedi, à Mougins, pour un tour de reconnaissance. Douze kilomètres, une trentaine de minutes en car, en ne partant pas trop tard, elle serait largement rentrée pour son rendez-vous de 18 heures avec Mathilde.

Pour une fois, une journée bien remplie.

27

À 9 h 30, Marie-Ange est partie, comme chaque samedi, se faire belle chez son coiffeur. Sitôt la porte claquée, Aude est sortie à son tour : jupe, chemisette, espadrilles. Le soleil tapait déjà, la rue fleurait bon les vacances, juillet s'était installé en catimini, s'adaptant à ses états d'âme où le temps comptait pour des clopinettes : celui qui règne là-haut, celui qui s'écoule en bas. Dans son sac à dos, elle a seulement glissé une bouteille d'eau et une pomme. Si elle avait faim, elle achèterait un sandwich sur place.

Le car était presque plein lorsqu'elle y est montée. Mougins bénéficiait d'une renommée internationale, due notamment à Picasso qui y avait passé ses dernières années, dans la maison appelée Le Minotaure – monstre à corps d'homme et à tête de taureau, offerte par lui à sa deuxième femme, Jacqueline Roque. À sa suite, de nombreux artistes avaient fréquenté le village : Picabia, Jean Cocteau, Édith Piaf. Et aussi Paul Éluard, le poète, dont, grâce à son père, Aude connaissait par cœur certaines citations qui, aujourd'hui, prenaient pour elle une consonance particulière : « La nuit n'est jamais complète », « Il y a toujours un rêve qui marche ».

Et celle-là, si simple, sa préférée : « Une main tendue, une main ouverte ».

Elle résonnait à ses oreilles tandis que défilait un paysage de roc et de pins, adouci par le vert tendre de la vigne, éclairé par l'argent des oliviers.

11 heures sonnaient quand le car s'est arrêté à l'entrée du village, enroulé autour de son clocher. Dans un bourdonnement de chaleur montaient les odeurs du Sud : sarriette, romarin, lavande. Avec les autres passagers, Aude s'est engagée dans les ruelles plantées de chevalets, bordées d'échoppes et de nombreux restaurants, Mougins étant également réputé pour sa gastronomie. Comme ils arrivaient près de la boulangerie, ce sont des odeurs de miel et de caramel, spécialités du coin, qui ont chatouillé ses narines.

Un jour qu'elle peinait à trouver une adresse, un ami lui avait dit : « Rien de plus facile, tu demandes là où tout le monde se rend au moins une fois par jour... pour acheter son pain. » Elle a hésité. Et vite renoncé devant l'affluence : inutile de se faire remarquer.

Alors qu'elle arrivait place des Arts où s'élevait l'église Saint-Jacques-le-Majeur, une idée lui est venue : et si elle s'adressait au curé ? Elle a revu les photos prises lors du mariage et de l'enterrement de Béatrice. Sans aucun doute, il connaissait la famille et pourrait la mettre en relation avec Jean-Marie de Menthon.

Attiré par les vestiges gallo-romains, statues et reliquaire, un flot régulier de touristes, appareils photo ou portables au poing, entrait et sortait de l'édifice. S'approchant du portail, découvrant sur un panneau le nom de la paroisse : Notre-Dame-de-Vie, le cœur d'Aude s'est serré : Notre-Dame-de-Vie, Notre-Dame-de-Grasse, La Croix Notre-Dame, un sombre pèlerinage la menant où ? Vers quelle expiation ? Les horaires des messes y étaient indiqués ainsi que les jours où le curé, le père Robert Pierson, recevait : les lundis, mercredis et samedis, de midi à 13 heures. Il était 11 h 35, Aude a décidé d'attendre. Elle est allée s'asseoir sur un banc, à l'ombre d'un platane, en face de l'église, et elle a sorti la bouteille d'eau et la pomme de son sac.

Le père Pierson, un homme âgé aux cheveux blancs et aux yeux d'un bleu très clair, comme délavé – reflétant une âme fatiguée ? –, l'a reçue dans la sacristie. Il lui a désigné une chaise en bois brun et s'est assis à côté d'elle. Dans une pièce voisine, on pouvait apercevoir, sur une table, des vêtements sacerdotaux, un encensoir, et plus loin, les paniers de la quête.

— Je m'appelle Aude Saint Georges et je viens de Grasse, s'est-elle présentée.

Le sursaut du curé, son regard troublé ne lui ont pas échappé. Son nom, bien sûr : Saint Georges. Celui de la jeune femme qu'il avait mariée puis enterrée. Pourquoi pas baptisée ?

— Je vous écoute, a-t-il dit d'un ton contraint.

— Peut-être savez-vous que mon mari, après avoir été celui de Béatrice de Menthon, a disparu, a-t-elle commencé. Des questions me tourmentent que je voudrais poser à son père, j'ai pensé que vous pourriez me le présenter.

Tandis qu'elle parlait, Aude avait pu voir le visage du prêtre s'assombrir. Le regard tourmenté est revenu vers elle.

— Le décès de sa fille a profondément affecté monsieur de Menthon. Vous risquez de raviver ses blessures, a-t-il objecté d'une voix sourde. Mais croyez que, si je le peux, je suis prêt à répondre à vos questions.

Le regard de prière, de supplication accompagnant ces mots, a ému Aude. Non, elle ne s'était pas trompée : un ami de la famille.

— Durant plus de deux ans, j'ai vécu avec Emerick Saint Georges des... tourments semblables à ceux qu'avait subis Béatrice, a-t-elle repris. Contrairement à elle, j'ai eu la chance de m'en tirer. J'ai besoin, tout simplement, de comprendre pourquoi...

Et, sur ces derniers mots, sa voix s'est cassée : « Tout simplement » ?

D'un geste spontané, le prêtre s'est emparé de ses mains.

— Oh, madame, je sais combien vous avez souffert. Croyez que vous avez été chaque jour dans mes prières.

Aude est restée interdite : dans les prières du père Pierson ? Chaque jour ? Que savait-il de son calvaire pour parler ainsi ? Par qui l'avait-il appris ?

Le visage de Marthe s'est imposé à elle. Bien sûr ! Marthe qui tenait ses anciens patrons au courant de ce qu'elle vivait. Ceux-ci le répétant au curé de leur paroisse.

Brusquement, elle a eu envie de tout lui dire, se confesser. Un prêtre n'est-il pas tenu au secret ?

— Je crains d'être la cause de la disparition de mon mari, a-t-elle lâché d'une voix qu'elle tentait d'affirmer.

Le père Pierson s'est redressé.

— Mais comment cela ? Que voulez-vous dire ?

135

— Ce matin-là, nous nous étions disputés. Gravement. Il m'a emmenée à La Croix Notre-Dame. Nous nous sommes battus, je l'ai poussé dans le ravin.

— Mais non ! Cela ne se peut ! s'est écrié le curé. Un profond sentiment d'accablement l'a submergée. Il ne la croyait pas, elle aurait dû s'y attendre ! Comme Basile : son petit format. Il aurait fallu qu'elle ose lui parler du pantalon baissé qui entravait les mouvements de son mari...

Mais alors qu'elle hésitait, soudain il s'est rendu.

— Monsieur de Menthon assiste ici, chaque dimanche, à la grand-messe de 11 heures. Sans sa femme à qui, hélas, trop d'épreuves ont fait perdre la foi. Si vous voulez, je lui ferai part de votre demande.

— Oh, merci, mon père. Je serai là demain. Et s'il ne vient pas, je m'inclinerai.

28

Il fait doux et l'ambiance est à la fête sur la place où se trouve le Café Antoine. Assise à la terrasse près de Mathilde, Aude récupère.

À son retour de Mougins, elle s'est longuement douchée tout en s'efforçant de rassembler ses idées. Le terme convient : tenter de voir clair dans le faisceau de fils disparates, résultant de sa visite au père Pierson.

La réaction presque effrayée du curé lorsqu'elle s'était nommée, son attitude tantôt réservée, sur ses gardes, tantôt au contraire pleine de compassion, d'empathie. La révélation qu'elle était loin d'être une inconnue pour lui, son refus de la croire lorsqu'elle lui avait confessé son crime. Et, au final, sa capitulation. Tout ce qui lui permettait d'espérer voir demain le père de Béatrice. Oh, pourvu, pourvu qu'il soit au rendez-vous !

À Mathilde, elle n'a parlé que du positif : son bébé. Marre de se répéter, de ne brasser que du noir. Elle lui a simplement expliqué qu'elle avait cessé d'aimer son mari et qu'il y avait de grandes chances pour que l'enfant soit d'un autre que lui. Et, racontant les souvenirs peu à peu retrouvés de son « soupirant », de nouveau il lui a semblé sentir son corps contre le sien.

Les mots venaient naturellement, sans effort. Après tout, n'était-ce pas le boulot d'une orthophoniste que de vous rendre la parole ? Et c'était ici, dans ce même café, que quelques semaines auparavant, Aude avait confié à Mathilde son émoi après le test de grossesse positif, certaine à l'époque que le bébé était celui de son tortionnaire. Dans la foulée, elle lui a révélé les paroles de la gynécologue après l'examen prénatal : son corps presque intact. Le « presque » dû à Rémi ?

Mathilde la fixe de son regard attentif, lumineux. Elle ne l'a pas interrompue une seule fois.

— En somme, c'est une bonne nouvelle !

— Même excellente, confirme Aude, et, posant la main sur son ventre : Bien sûr, nous allons continuer ensemble.

Mathilde sourit. Puis elle hésite, redoutant de gâcher sa joie.

— Imaginez que votre mari revienne ?

— Plus le temps passe, moins c'est probable. Et, avec l'aide du docteur Armand, je me suis souvenue que j'avais l'intention de le quitter.

Aude boit quelques gorgées de jus de fruits. Mathilde désigne son verre.

— Pas d'alcool, c'est donc pour lui ?

— Ou pour elle, s'amuse Aude.

— Une préférence ?

— Plutôt « elle ». Mon dernier « lui » ne m'a pas tellement réussi.

— Vous devriez avoir bientôt la réponse.

Aude acquiesce :

— À ce propos, je suppose qu'il existe un moyen de savoir qui est le père ? s'enquiert-elle.

— Certainement ! Un échantillon buccal du monsieur, un prélèvement sanguin de la dame en isolant l'ADN du fœtus, et le tour est joué. Il arrive que certains présumés pères s'y opposent. Je ne pense pas que ce sera le cas de votre Rémi. Qu'en dit-il ?

— À la vérité, il ignore que je suis enceinte, avoue Aude piteusement.

Et le regard stupéfait de l'orthophoniste n'avait rien à envier à celui du psychiatre.

Un groupe de musiciens a pris possession de la place. 19 h : des clients commençaient à dîner. Aude a raconté l'absence du « présumé père », meilleur ami de son frère, en reportage en Égypte avec lui quand elle avait appris sa grossesse. La révélation de Marthe, gouvernante à L'Héliotrope, de l'impuissance de son mari. Sa visite à Basile qui lui avait confirmé l'amour que lui portait Rémi...

— Même s'il affirme qu'il sera aux anges en apprenant la « bonne nouvelle », j'appréhende un peu le moment de la lui annoncer. J'ai même pensé à demander à mon frère de s'en charger, mais ne dois-je pas prouver au docteur Armand que je suis bien la brave qu'il imagine ? a-t-elle tenté de plaisanter.

— S'il vous le dit, c'est qu'il le pense, a simplement remarqué Mathilde.

Et, drôlement, elle a levé son verre à la santé du bébé, se promettant de sabler le champagne dès qu'Aude aurait retrouvé son ventre plat.

— Plat... plat... a soupiré Aude en agitant l'ample chemise qu'elle portait sur son pantalon. Sitôt Rémi au courant, je l'annonce à tout le monde.

— Aïe... maman ! a ri Mathilde.

Elle a consulté sa montre et s'est levée. Elle serait bien restée dîner avec Aude, mais sa petite famille l'attendait.

— C'est moi qui invite, a décidé cette dernière.

— Alors, ça sera moi pour le champagne, a répliqué Mathilde.

Regardant s'éloigner la jeune femme, Aude se souvenait de l'espoir qu'elle avait nourri de trouver en elle la grande sœur qui lui avait manqué et de sa déception lorsqu'elle avait compris qu'elle ne serait jamais qu'une amie.

Elle a souri : l'amie lui convenait très bien. Elle avait grandi.

29

Dans l'explosion des cloches, le portail de l'église Saint-Jacques-le-Majeur s'est ouvert à deux battants et une petite foule colorée en est sortie, emplissant la place d'un brouhaha joyeux.

Plutôt que le car, Aude s'était offert un taxi tant elle craignait de manquer le rendez-vous et cela faisait un bon quart d'heure qu'assise sur le même banc que la veille, serrant entre ses doigts la photo du « grand monsieur », elle priait le Dieu de son enfance – celui auquel parfois elle croyait encore – pour que Jean-Marie de Menthon soit là.

Il est apparu sur le côté de l'église, vêtu de gris, comme frileux. Derrière ses lunettes, son regard a cherché, Aude s'est levée, retenant son souffle. En trois enjambées, il l'a rejointe.

— Vous êtes Aude, n'est-ce pas ?

Il avait retiré ses lunettes et lui tendait la main. Tandis qu'elle la serrait, découvrant le visage nu, torturé, un visage de crucifié, un cri lui a échappé.

— Vous savez, rien ne vous oblige à...

Il l'a interrompue en montrant la foule.

— Venez. Nous ne pouvons rester là.

Il avait remis ses lunettes pour conduire. Épaules raides, silencieux, il roulait vers le parc de la

Valmosque où, si souvent, elle s'était promenée avec son père, et elle avait envie de le lui raconter. Elle ne craignait plus qu'il ne l'entende pas : « Vous êtes Aude, n'est-ce pas ? »

Il s'est garé sur l'un des parkings et, toujours sans mot dire, il a pris le chemin de l'étang de Fontmerle : cinq hectares d'eau bordée de lotus, abritant toutes sortes d'oiseaux. Quand elle y venait, elle emplissait ses poches de morceaux, de pain, et son père riait en l'appelant la Mère Teresa des plumages.

Parmi les poules d'eau, martins-pêcheurs et colverts, Jean-Marie de Menthon a désigné un héron qui, seul, le cou mobile, l'œil aux aguets, semblait, tel un seigneur, surveiller ses sujets.

— Ma fille l'avait adopté. Elle l'appelait Max, savez-vous pourquoi ?

— La chanson, a murmuré Aude.

« Il est libre, Max » : la chanson de Hervé Cristiani, reprise par de nombreux artistes.

— Le héron cendré, espèce à laquelle il appartient, est appelé « l'oiseau libre », a précisé le père.

Cette liberté à laquelle, en épousant Emerick Saint Georges, Béatrice avait espéré accéder, oh, mon Dieu !

Ils longeaient à présent l'allée de cyprès menant à la chapelle Notre-Dame-des-Anges, dédiée à la Vierge. La légende voulait qu'autrefois on y emmène les enfants mort-nés pour que Dieu les ressuscite le temps qu'ils soient baptisés et confiés à Marie. On appelait aussi l'édifice « Le Sanctuaire à répit ». Ce répit auquel Picasso aspirait à la fin de sa vie et dont on apercevait, tout près, les murs du Minotaure.

Le père de Béatrice a poussé la modeste porte de bois. Une lumière discrète régnait dans la chapelle où plus aucune messe n'était célébrée.

13 h 30 : l'heure du déjeuner, des pique-niques au soleil. Seules quelques personnes déambulaient le long des murs peints, parlant bas. De la musique – piano, violon, violoncelle – sortait des haut-parleurs. On disait que de grands artistes, Rubinstein, Rostropovitch, avaient joué ici. Ils se sont avancés jusqu'à l'autel, surmonté d'un triptyque représentant la Vierge, et ont pris place côte à côte sur les chaises paillées. Jean-Marie de Menthon s'est tourné vers Aude.

— Avant de répondre aux questions que vous vous posez, je veux que vous sachiez combien je regrette de ne pas avoir pu vous avertir à temps de ce qui vous attendait en épousant Emerick Saint Georges. J'étais en voyage. Ce n'est qu'à mon retour que j'ai appris votre mariage.

« Emerick Saint Georges », avec quel mépris glacé il avait prononcé ce nom ! Et ses excuses confirmaient ce que le père Pierson avait appris la veille à Aude : le père de Béatrice n'ignorait pas ce qu'elle-même avait vécu.

— Vous savez, je ne crois pas que je vous aurais écouté, a-t-elle remarqué tristement. J'étais très amoureuse. Et lui très adroit à cacher son jeu.

— Comme avec ma fille... ainsi qu'avec nous, a acquiescé le père.

— Mes parents n'ont rien vu eux non plus.

Jean-Marie de Menthon avait de nouveau retiré ses lunettes. Il l'a fixée de son regard désarmé.

— Qu'attendez-vous de moi, Aude ?

— Que vous me parliez d'elle, c'est tout.

Il y a toutes sortes de silences : ceux de recueillement, d'attente, d'espoir. Celui qu'observait le père de Béatrice lui a semblé explosif, même si le mot ne convenait guère à l'homme discret, retenu, assis

143

à son côté. Un silence débordant de douleur, regrets, remords ? Et, comme pour Marthe, Aude a compris qu'il éprouvait un besoin impérieux de vider son cœur.

— C'était une enfant très vive, pleine de projets, sûre d'elle et qui détestait s'avouer vaincue, a-t-il commencé d'une voix enrouée. Un orgueil qui, sans doute, l'a perdue.

Il s'est interrompu quelques secondes pour reprendre souffle, les yeux fixés sur ses mains, l'une ornée d'une lourde chevalière aux armes de la famille. « Dérisoires armes... », a-t-elle pensé.

— Entre Béatrice et une mère très, sans doute « trop » autoritaire, la guerre était permanente, a-t-il déploré. Que de fois ma femme l'avait-elle menacée de la mettre en pension ! « Vas-y, là au moins, j'aurai le droit de respirer », ripostait-elle. Quant à moi, je n'avais pas voix au chapitre.

À l'adolescence, les choses n'avaient fait qu'empirer, Irène reprochant à leur fille une conduite éhontée avec les garçons. « Éhontée », le mot a frappé Aude. La honte que l'on provoque, celle qui vous paralyse... Ce sentiment dévastateur, selon le docteur Armand.

— Alors ? a-t-elle murmuré.

— Alors, quand Béatrice a rencontré Emerick Saint Georges et accepté – je devrais plutôt dire « décidé » de l'épouser –, nous avons, sa mère et moi, été plutôt soulagés. L'homme avait bonne réputation et la différence d'âge nous apparaissait comme un gage de stabilité.

Sa voix s'est brisée :

— Aveugles que nous étions !

Au début du mariage, ils ne s'étaient pas étonnés de peu voir leur fille et rarement seule. Elle semblait

144

aller bien, jamais un mot, une plainte qui auraient pu les alerter : son fichu orgueil ! Ce n'est que lorsque Marthe leur avait appris qu'Emerick, maladivement jaloux, la retenait prisonnière à L'Héliotrope, qu'ils avaient commencé à s'inquiéter, tout en soupçonnant la gouvernante, très attachée à Béatrice, d'exagérer.

— Puis nous avons appris, de la bouche même de son mari, qu'elle était tombée malade. Il prétendait qu'elle refusait toute visite et que son médecin les déconseillait.

Le visage de Jean-Marie de Menthon s'est tendu, sa voix s'est faite tragique :

— Quand Marthe est revenue à la charge, nous révélant cette fois que la porte de notre fille lui était désormais interdite, ma femme a décidé d'aller la chercher, avec son aide, un jour qu'il serait absent. Je ne me pardonnerai jamais de m'y être opposé.

Un sanglot l'a secoué. Il a enfoui son visage dans ses mains.

— Mais vous ne pouviez pas savoir ! s'est écriée Aude. Moi-même j'ai mis un temps fou à comprendre qui il était vraiment. Et quand j'ai osé m'opposer à lui, il a tenté de me tuer.

Et elle a ajouté plus bas – il fallait qu'elle le dise :

— M'obligeant à le pousser dans le ravin à La Croix Notre-Dame.

Et elle a fermé fort ses yeux.

— Aude, regardez-moi, a ordonné Jean-Marie de Menthon.

Elle a obéi, surprise par la soudaine fermeté de sa voix.

— Rassurez-vous, vous ne pouvez avoir fait un tel geste.

Il a semblé à Aude qu'il était sur le point d'ajouter quelque chose, mais il s'est ravisé, se contentant d'entourer ses épaules de son bras. Elle y a laissé tomber sa tête. Qu'importe, c'était dit : à la personne qu'il fallait, dans l'endroit qui convenait. Elle n'en demandait pas plus.

Plus tard, avant de quitter la chapelle, ils ont fait le tour des peintures murales. Parmi celles-ci se trouvait une fresque intitulée : *Ex-voto des Pénitents blancs*. Elle représentait une procession religieuse partant de Saint-Pierre-de-Grasse et aboutissant ici. Grasse, Mougins, la chapelle Notre-Dame-des-Anges, les « Pénitents blancs »... C'était comme si son histoire s'inscrivait tout à coup sous ses yeux. Histoire à laquelle elle pourrait désormais ajouter, à la liste de ses alliés, le père de sa petite sœur d'infortune.

Il a tenu à la raccompagner jusque chez elle et, avant de la quitter, il lui a remis sa carte en lui faisant promettre de l'appeler si le moindre doute, la plus petite interrogation lui venait. Alors qu'il remettait ses lunettes après l'avoir embrassée, un bref éclair de soleil, faisant briller la monture métallique, l'a soudain tendue. Éveillant quel souvenir ? Elle a oublié.

TROISIÈME PARTIE

Jaspe, pierre protectrice

30

Il était 9 h, lundi, Aude traînassait dans sa chambre quand Evangelos l'a appelée. « Le Patron » était de retour, arrivé la veille d'Australie avec madame Olivia, sa fille aînée. Il souhaitait la voir très vite. La voix du cuisinier tremblait d'émotion et de bonheur. Avec « le Patron » – P majuscule –, tout était dit : L'Héliotrope avait retrouvé son maître.

— Le chauffeur pourra-t-il venir vous chercher en début d'après-midi ? a-t-il demandé.

— Mais oui... bien sûr... a répondu Aude complètement perdue. À quelle heure ?

— Un peu avant 14 h 30, si cela vous convient. Monsieur a beaucoup à faire. Il a prévu de déjeuner tard.

Après avoir raccroché, Aude est retombée sur son lit, KO. Son beau-père à L'Héliotrope ? Bien sûr, elle savait sa venue imminente, Evangelos l'en avait avertie. Elle s'était même réjouie – si l'on pouvait dire – de faire enfin sa connaissance. Mais sans pour autant s'interroger sur la façon dont se passeraient les choses... Et Olivia, sa belle-sœur, dont elle découvrait seulement l'existence, venue avec lui ! « Olivia », joli !

« Il souhaite vous voir très vite. » Après tout, quoi d'étonnant ? Même s'il n'avait pas assisté à son mariage – ce qui l'avait déçue –, n'était-elle pas l'épouse de son fils ? « L'héritière », aurait dit sa mère. Mais à part ça, que connaissaient-ils l'un de l'autre ? Pratiquement rien. Par son père, Aude avait appris qu'Édouard Saint Georges, appelé par certains le « roi Édouard », était un grand parfumeur. Celui qui avait eu la belle idée de donner à ses parfums le nom de pierres précieuses. Par Marthe, qu'il était un redoutable séducteur qui avait brisé le cœur de la pauvre Isabelle, sa femme, et un homme haï de son propre fils. Eh bien, elle allait pouvoir en juger.

Elle s'est levée. Dans la glace de l'armoire, elle a vu une femme aux cheveux en bataille, au visage sans éclat, dans un tee-shirt froissé. Serait-il déçu ? Une chose certaine : du couple qu'elle avait formé avec son mari, son beau-père ignorait tout. Que lui dirait-elle s'il l'interrogeait ?

Ses yeux sont descendus sur son ventre bombé : « Et toi, petit ? »

Seigneur, quand il apprendrait ! Elle n'osait imaginer sa réaction. En attendant, il allait lui falloir contrôler chacune de ses paroles, le moindre de ses gestes et elle en était épuisée d'avance.

Exceptionnellement, sa mère rentrait déjeuner. Pour une fois, elle s'en est félicitée. Aucune raison de lui taire le retour du « roi Édouard ». Grasse était une petite ville, tôt ou tard, elle l'apprendrait et ça lui ferait du bien de parler.

Elle a pris une douche : shampoing, brushing, un peu de rose sur les joues, de rouge sur les lèvres, de brun sur les cils. C'était mieux ! Elle achevait de préparer une salade mi-niçoise, mi-César : tomates, haricots verts, œufs durs, anchois et sauce fromage, quand sa mère est rentrée. Sitôt à table, elle lui a annoncé la nouvelle.

— Figure-toi qu'Édouard Saint Georges vient de débarquer d'Australie. Il m'attend à 14 h 30 à L'Héliotrope.

La fourchette de sa mère est restée en suspens.

— Eh bien, c'est pas trop tôt, on peut dire qu'il aura mis le temps ! On commençait à s'inquiéter du côté de l'entreprise.

— Ah bon ? Comment tu sais ça ?

— Moi, je ne vis pas en vase clos. Et, jusqu'à nouvel ordre, le patron c'est toujours ton mari. Je te rappellerai également qu'une entreprise ne marche pas toute seule.

Aude n'a pas répondu. Sa mère avait raison : pas un instant elle ne s'était préoccupée de celle-ci, sachant que le bras droit d'Emerick avait pris le relais.

C'est le banquier de ce dernier, Ernest Desombre, depuis toujours en charge des affaires de la famille, qui le lui avait dit. À sa demande, Aude était allée le voir à sa banque dès sa sortie de l'hôpital. Elle avait découvert un bel homme aux cheveux blancs, à l'attitude paternelle, qui s'était présenté comme un grand ami de son beau-père. Avec patience, il lui avait expliqué la situation juridique délicate dans laquelle elle se trouvait. De « disparu », son mari était considéré aujourd'hui comme « absent ». Il avait eu un profond soupir : « Pardonnez-moi, madame, mais, en l'absence de corps, des années pourront s'écouler avant que la succession ne soit réglée. »

Puis il avait retrouvé son sourire.

— Mais rassurez-vous. J'ai eu un appel de Sydney. Monsieur Saint Georges m'a demandé d'ouvrir un compte à votre nom et d'y verser chaque mois une somme qui vous permettra de couvrir vos dépenses. Vous pouvez vous féliciter d'avoir un beau-père très généreux, avait-il ajouté.

Ô combien ! La somme était importante et, vivant chez sa mère, Aude n'avait pratiquement aucune dépense, en dehors de son psychiatre. Aussi avait-elle vu son compte s'arrondir au fil des mois.

La salade, accompagnée d'un verre de vin blanc pour Marie-Ange, était terminée. Celle-ci étant pressée, elles sont passées directement au café. Des quelques paroles prononcées par Evangelos, et qu'elle avait fait répéter plusieurs fois à sa fille, c'est le chauffeur qui l'avait le plus impressionnée, que son beau-père la fasse chercher à domicile ! Pour un peu, elle aurait bien convié ses amies à assister à l'événement.

— Surtout, tu attends qu'il t'ouvre la portière pour monter. Ne va pas te précipiter comme une malpropre ! lui a-t-elle recommandé. C'est son boulot.

— Et aussi de soulever sa casquette, j'espère ! a plaisanté Aude.

Sa mère a levé les yeux au ciel :

— Et ce soir, tu me racontes tout.

Puis seulement elle a daigné sourire en désignant l'élégante robe-chemise de la « malpropre », achetée récemment dans l'une des bonnes boutiques de la ville.

— C'est bien ! Pour une fois, tu t'es habillée correctement.

Robe à porter sans ceinture.

« Aïe, maman ! », aurait dit Mathilde.

31

Il était 14 h 30 précises lorsque la limousine, conduite par le chauffeur en costume et souliers cirés, a déposé Aude à L'Héliotrope devant les marches du perron. Alors qu'il lui ouvrait la portière, Evangelos est apparu.

— Madame Aude. On vous attend pour le café.

Le « On » de majesté, prononcé avec respect. Dans le hall, elle a cherché Marthe des yeux : une alliée ? En vain.

Même si ses cheveux avaient blanchi et que de profondes rides marquaient son front, l'homme qui s'est levé à son entrée au salon était bien celui du portrait : droit et fier. Près de lui se trouvait une grande femme d'une quarantaine d'années à l'épaisse tignasse blonde frisée, vêtue d'une chemise à carreaux et d'un jean, chaussée de baskets. En trois enjambées, elle l'a rejoint.

— Voilà donc ma belle belle-sœur ! a-t-elle lancé avec chaleur. Moi, c'est Olivia.

Et, sans façon, elle l'a embrassée sur les deux joues.

— Puis-je vous appeler Aude ? a demandé son beau-père en lui tendant la main.

Surprise par cet accueil, elle l'a saisie en bredouillant un « Oui ». Puis elle s'est laissé entraîner par Olivia vers le canapé où elles ont pris place côte à côte, Édouard Saint Georges dans un fauteuil en face d'elles. Evangelos revenait déjà, poussant une table roulante sur laquelle étaient disposés cafetière, tasses et petits fours. Après avoir rempli les tasses et servi chacun, il s'est retiré. Son beau-père s'est tourné vers Aude.

— Alors, Aude, comment allez-vous ? Pas trop difficile ?

Cette compassion dans la voix, cette question si personnelle, posée si tôt, ont désarçonné Aude. Et comment tricher face à une telle franchise ?

— Si, c'est difficile, même très, a-t-elle reconnu.

— T'en fais pas, on est là maintenant, on va s'occuper de toi, a répliqué Olivia.

Le père a souri à sa fille, puis il est revenu à elle.

— Avant tout, je dois vous demander de me pardonner de ne pas être venu plus tôt.

Le soir même du drame, Evangelos l'avait appelé à Sydney pour lui apprendre la disparition d'Emerick et son admission, à elle, aux urgences de l'hôpital. Il avait immédiatement joint le capitaine de la gendarmerie qu'il connaissait personnellement et celui-ci lui avait confirmé la situation, s'engageant à le tenir au courant des avancées de l'enquête.

— Hélas insignifiantes comme vous le savez, a-t-il déploré. En ce qui vous concerne, Aude, c'est Evangelos qui me donnait régulièrement de vos nouvelles.

— 9 heures du matin ici, 19 heures à Sydney, le meilleur moment pour appeler, a précisé Olivia.

Son père a approuvé.

— Je mettais sur haut-parleur afin que ma fille puisse suivre. C'est parce qu'elle exigeait de m'accompagner en France et que nous avions l'intention de rester un bon moment avec vous – ce qui demandait une certaine organisation – que nous sommes arrivés seulement hier.

Aude est restée sans voix. Alors qu'elle pensait être une inconnue pour son beau-père, sa fille et lui s'étaient préoccupés d'elle ! Ils avaient pris régulièrement de ses nouvelles. Ils avaient décidé de rester un « bon moment » avec elle. Pourquoi ? Comment ? Que savaient-ils la concernant ?

Machinalement, son regard est monté vers le tableau représentant Édouard et sa femme. Olivia l'a suivie.

— Eh oui, c'est bien papa avec l'infortunée maman. Depuis le temps, j'avais oublié ce touchant portrait de famille.

Depuis le temps ?

— Pourquoi n'êtes-vous pas venus à mon mariage ? s'est entendue demander Aude à son beau-père : C'est quand même votre fils que j'épousais !

— Par lâcheté, je suppose, me dérobant à tous mes devoirs, a répondu celui-ci sans hésiter.

D'un seul coup, l'atmosphère s'était alourdie.

— Vos devoirs ? Je ne comprends pas.

Olivia a pris les devants :

— Après la mort de la pauvre Béatrice, la première femme d'Emerick, nous avons appris par Evangelos ce dont la mère de Béatrice l'accusait : avoir provoqué cette mort en la retenant prisonnière à L'Héliotrope. Inutile de te dire le choc.

— Supposant que je ne serais pas le bienvenu, j'ai renoncé à faire le voyage pour l'enterrement, a repris Édouard. Me contentant de demander à Evangelos de me tenir au courant des agissements de mon fils.

Il a plongé ses yeux dans ceux d'Aude, et sa voix a grondé :

— C'est là que j'ai failli à tous mes devoirs, en ne vous avertissant pas des risques que vous preniez en épousant Emerick, quand Evangelos m'a appelé pour m'annoncer vos fiançailles – si ce mot a encore un sens aujourd'hui.

Le cœur d'Aude s'est serré : les mêmes mots que ceux de Jean-Marie de Menthon. Mais prononcés par son beau-père, la tête haute et sans se chercher d'excuses. Et alors qu'elle s'apprêtait à lui faire la même réponse – elle ne l'aurait pas écouté –, un portable a sonné dans la poche de celui-ci. Il s'est levé : « Veuillez m'excuser », et s'est éloigné pour répondre.

Comme s'il n'attendait que ce moment, Evangelos est réapparu.

— Mesdames ont-elles tout ce qu'il leur faut ? Désirent-elles un peu plus de café ?

— Merci, Evangelos, tout va bien, a répondu gentiment Olivia après avoir consulté Aude du regard.

Le cuisinier s'est retiré avec un regard désolé vers les pâtisseries intactes.

— Je n'ai pas vu Marthe, a fait remarquer Aude. Elle n'est pas là ?

— Marthe a rendu son tablier. Elle s'apprête à retourner chez ses anciens patrons. Elle doit être en train de faire ses bagages. J'ai rarement vu quelqu'un aussi pressé de décamper.

Pour ne pas être tentée d'en rajouter sur le bourreau de sa « petite » ?

Le visage soucieux, Édouard revenait. À son tour, Olivia s'est levée.

— Ça va, papa ?

— Ça va ! Sinon que je vais devoir vous quitter. On me réclame à l'entreprise.

Il s'est tourné vers Aude :

— Seriez-vous libre pour m'accompagner demain à la banque ? Ernest Desombre, que vous avez déjà rencontré je crois, désire nous voir ensemble.

Ils sont convenus de s'y retrouver à 11 h 30, ce qui leur permettrait de déjeuner ensemble après. Puis Olivia a suivi son père jusqu'à la porte, sa main affectueusement posée sur son épaule. « Elle le protège », a constaté Aude.

En imaginant un homme sûr de lui, voire arrogant, elle s'était complètement trompée. Elle n'avait eu en face d'elle qu'un père meurtri et un homme droit, prêt à reconnaître ses erreurs : un autre « grand monsieur » ?

— Tu viens, Aude ? a crié Olivia de la porte. Toi, je ne sais pas, mais moi j'ai un besoin urgent d'un hyper bol d'air frais.

32

Sa belle-sœur avait passé son bras sous le sien et, tout en se promenant dans le jardin, provoquant parfois le brusque envol d'oiseaux qui rappelaient à Aude ceux du parc de la Valmosque, elle lui racontait son enfance à L'Héliotrope.

Non, elle n'avait pas été une petite fille heureuse. Comment l'être avec une maman qui passe dans sa chambre, son lit, l'essentiel de ses journées, voilages tirés comme sur un deuil ? « Chut, elle se repose », lui répétait-on quand elle tournicotait devant la porte, dévorée par l'envie d'entrer. Mais de quoi, se demandait-elle, puisqu'elle ne fait rien de toute la journée ?

Olivia a eu un rire.

— Il m'a fallu des années pour comprendre que cette fatigue était, en effet, due à un deuil : la perte de son innocence le soir de ses noces.

Élevée en pension, sous le boisseau d'un catholicisme rigide, Isabelle d'Anselme ne connaissait presque rien du sexe masculin lorsque, à 17 ans, elle avait rencontré son futur mari et l'avait trouvé très beau. Lui était tombé amoureux de la ravissante jeune fille apeurée, restée à l'âge où l'on croit aux contes de fées.

Les quelques baisers qu'il s'était permis de lui voler – le terme était exact – avaient paru franchement dégoûtants à la fiancée, mais bon, ils faisaient partie, soupirait sa mère, du devoir conjugal.

— Mais quand, durant la fameuse nuit, la fervente des contes de fées a découvert son mari en « tenue de combat », si l'on peut dire, elle a sincèrement cru qu'il en voulait à sa peau – ce qui d'ailleurs n'était pas faux.

De cette peur, Isabelle ne s'était jamais remise et, après avoir accompli son devoir conjugal en donnant deux enfants à Édouard, dont le garçon promis à lui succéder, elle avait définitivement replié sur elle les pans de sa chemise de nuit de dentelle.

— Pauvre papa, comment lui reprocher d'être allé chercher ailleurs ?

Aude n'a pu s'empêcher de sourire. Décidément, elle adorait la façon qu'avait sa belle-sœur d'aborder les problèmes de front, sans la moindre hypocrisie. Le contraire de son frère.

Et justement Olivia y est venue :

— Mais je n'avais rien vu avant l'arrivée dudit « successeur ».

Elle avait 4 ans et se réjouissait d'avoir enfin un frère, un compagnon de jeu, pourquoi pas de cafard ? Très vite, elle avait déchanté.

— La seule personne qui comptait pour Emerick était maman. Et, comble de l'injustice, lui avait libre accès à la chambre « Ambre ».

Aude s'est revue s'y glissant quelques semaines auparavant. « Ambre » : pierre d'amour. Elle a imaginé le petit garçon serré contre sa mère dans le lit conjugal, entre les lampes flammes et les photophores. Le coffret était-il déjà sur la commode ?

— Et papa qui ne voyait rien ! a déploré Olivia. Sinon qu'Emerick brillait à l'école, ce qui lui suffisait. Quant à la pauvre maman, elle devait être à mille lieues de se douter qu'à cause d'elle, parce qu'il rendait papa coupable de sa déprime, Emerick se mettait à le détester. Jamais elle n'aurait voulu ça, c'était avant tout une sainte femme. Elle s'est arrêtée et a désigné les buissons de lys.

— Leur fleur préférée. Depuis, je ne peux plus la sentir... dans tous les sens du terme.

— Moi, pareil, a renchéri Aude. Ils me donnent mal au cœur... dans tous les sens du terme ! C'est Emerick qui les avait plantés ?

— Avec l'aide du jardinier.

Elles ont repris leur marche. Depuis combien de temps Aude ne s'était-elle pas sentie aussi bien ? Accompagnée, comme « devinée ».

— Puis maman est morte et je me suis sauvée le plus loin possible, en Australie, chez des cousins de papa. J'ai appris là-bas ce qu'était une vraie famille.

Aude a hésité. Puis elle s'est lancée :

— Est-ce que je peux vous demander quelque chose ?

— Non ! Sauf si c'est « tu » qui le demande.

— De quoi est morte ta mère ?

— Un matin, elle n'était plus là : abus de somnifères.

Revoyant le tube dans le tiroir de nuit d'Emerick, Aude a frissonné. Comme Béatrice ? Olivia s'est secouée :

— Allez, suffisamment parlé de moi. À toi, madame.

Aude a raconté sa rencontre avec Emerick et, très vite après leur mariage, la découverte de son erreur, sa folle jalousie, l'isolement dans lequel il tentait de l'enfermer. Sans entrer dans les détails, elle a révélé à Olivia l'impuissance de son frère, ce qui n'a pas paru l'étonner plus que ça.

— Maman... Toujours maman...

— Très probablement.

Il était trop tôt pour parler de l'accident. Un jour, peut-être.

— Peu avant sa disparition, je lui avais dit mon intention de le quitter.

— Houlà ! Je n'ose imaginer sa réaction.

— Terrible, en effet, a murmuré Aude.

— Alors je suppose qu'aujourd'hui, ça va beaucoup mieux ! a lancé joyeusement Olivia.

Les mêmes mots ou presque que ceux du docteur Armand. Avec, dans ses yeux, une même interrogation.

— Aujourd'hui, j'ai quelqu'un dans ma vie, a-t-elle avoué.

— J'ai vu ça, a constaté sa belle-sœur en désignant son ventre.

Et, comme Aude restait pétrifiée, de la main, elle a caressé le sien :

— Il y a des gestes qui ne trompent pas. Combien de fois lui as-tu fait des p'tits coucous depuis ton arrivée ! Figure-toi que j'en ai porté trois. Je sais ce que c'est.

D'un seul coup, tous les lys du monde ont été balayés tandis que le rire d'Aude se joignait à celui de sa belle-sœur. « Mon Dieu, a-t-elle soudain pensé, elle et Basile vont s'entendre comme larrons en foire ! » Et son rire a redoublé. Mais alors qu'elles reprenaient le chemin de la maison, la réalité l'a rattrapée.

— Pas sûr que ton père apprécie.

— On voit que tu le connais mal : tu es son remords permanent, il te l'a dit à sa façon. La nouvelle pourrait même le consoler un peu. Veux-tu que je me charge de la lui annoncer ?

— Oh, oui, merci !

Hello, miss Froussarde...

— Puis-je avoir le prénom du monsieur ?

— Rémi.

Une main, une chaleur, un visage, mais toujours aucun souvenir d'avoir fait l'amour avec lui. Un ultime verrou refusant de sauter... sur sa trahison ?

Le chauffeur étant occupé avec le patron, Olivia a tenu à la raccompagner dans la Twingo. Comme elles arrivaient à destination, elle l'a embrassée :

— S'il te plaît, fini, les idées noires, Aude. Je suis là, hardi !

Poussant la porte de la maison, ce douloureux bonheur qui gonflait sa poitrine : elle avait enfin trouvé sa sœur.

33

Si l'on avait dit à Aude qu'un jour elle formerait sur son portable le numéro du docteur Armand pour décommander un rendez-vous, elle lui aurait ri au nez. Se priver d'une rencontre avec celui qu'elle considérait comme son sauveur, rompre, ne serait-ce que provisoirement, le lien qui l'aidait à tenir debout, avancer vaille que vaille ? Une plaisanterie.

C'est pourtant ce qu'elle a fait, sitôt la porte de sa chambre refermée, portée par le mot-aiguillon d'Olivia : « Hardi ! » Il y a des personnes si fortes qu'elles vous transmettent, sans même le chercher, un peu de leur énergie. À défaut de leur courage.

La première fois qu'elle avait vu le psychiatre, il lui avait indiqué qu'elle ne devrait jamais hésiter à annuler une séance, même au dernier moment. Celle-ci restant due, bien sûr. « Et vous n'aurez pas à vous justifier, c'est une affaire entre vous et vous », avait-il ajouté.

« Merci de me laisser un message »... Il était sur répondeur. Au fond, elle préférait. Elle a seulement dit qu'un imprévu l'empêcherait d'être là le lendemain, mardi. Et, sans savoir pourquoi, elle a terminé par « Tout va bien ». Parfois on ajoutait

« dans le meilleur des mondes », mais il ne fallait quand même pas exagérer.

Mardi 11 juillet, vendredi 14, jour férié. Ils ne se verraient donc pas pendant toute une semaine. Se souvenant de l'époque – pas si lointaine – où elle collectionnait dans ses poches les cartes-rencontres, elle a pensé qu'il y avait quand même du mieux. 17 h 45, sa mère ne tarderait pas à rentrer. Elle a troqué l'ample robe-chemise qui n'avait pas trompé Olivia contre ses habituels jean et tee-shirt. Puis elle s'est préparée à mentir.

Chauffeur à casquette, beau-père flamboyant ravi de faire sa connaissance, belle-sœur vêtue en cow-boy qui l'avait conviée à venir à Sydney, elle a noyé la pauvre Marie-Ange sous une avalanche de mots couleur eau de rose, terminant par un joyeux : « Un nouveau voyage en perspective avec tes copines » qui l'a laissée baba.

Il arrive qu'une mère soit plus facile à berner qu'une femme de cœur qui vous devine au premier regard. Plus tard, elle s'est endormie, sourire aux lèvres, sur l'épaule de sa belle belle-sœur.

— Madame, je vous en prie.

L'assistante d'Ernest Desombre s'est effacée et Aude est entrée dans le vaste bureau à boiseries. Son beau-père était déjà là et lorsque les deux hommes aux cheveux blancs, rosettes de la Légion d'honneur à la boutonnière, se sont levés pour l'accueillir, elle s'est sentie toute petite.

Édouard Saint Georges lui a serré la main, le banquier l'a portée à ses lèvres, puis tous trois ont pris place dans des fauteuils club.

— Figurez-vous que nous étions en train de chanter vos louanges, a commencé Desombre. Vous prenez avec beaucoup de cran une situation particulièrement difficile.

— Comment faire autrement ? a constaté Aude, dans ses petits souliers.

— J'en connais qui ne se priveraient pas de se lamenter sur leur sort...

C'était pour faire le point sur cette situation que le banquier avait tenu à la recevoir avec son ami et client, lui a-t-il expliqué. Aucune demande de rançon n'avait été reçue à ce jour, aucune opération suspecte constatée sur les comptes de son mari dont les cartes bancaires avaient disparu avec lui. De l'aveu même des gendarmes, l'enquête piétinait. On avait en vain exploré les berges de la rivière. Tout cela rendant hautement improbable un retour d'Emerick, il convenait de s'organiser dans la durée.

— Vous parlait-il de son entreprise ? a demandé Desombre à Aude.

— Jamais. Mais j'avais l'impression qu'elle marchait bien. Il en était fier.

— À juste titre et grâce à son talent, a approuvé le banquier. C'est pourquoi nous ne voyons aucune raison de la fermer, au risque de mettre de nombreuses personnes au chômage. Monsieur Chevalier, le bras droit de votre époux, est prêt à reprendre le flambeau, votre beau-père restant, bien sûr, au conseil d'administration.

— Bien sûr, a répété Aude machinalement.

Elle avait l'impression de nager en pleine irréalité. Était-ce bien à elle que ces hommes dignes et chevronnés s'adressaient ? Sa place était-elle vraiment dans ce bureau ? Méritait-elle tous ces égards ? À quoi devait-elle s'attendre encore ?

— Parlons à présent de L'Héliotrope, est intervenu son beau-père, comme répondant à son interrogation. Sachez que mon vœu le plus cher est de vous voir y revenir. Si par bonheur vous acceptiez, ce qui, à ce que j'ai compris, ravirait notre fidèle Evangelos, je ferai tout pour vous y faciliter la vie. Afin de remplacer Marthe, nous engagerons quelqu'un. Le jardinier continuera à y œuvrer sous votre direction. Et, bien entendu, je vous aiderai en conséquence.

Au-dessus de la tête d'Aude, incrédule, volaient des chiffres astronomiques : marche et entretien de la maison, personnel, assurances, pourquoi pas une nouvelle voiture ? Elle avait envie de crier : « Arrêtez, je ne mérite pas tout ça, je ne suis pas celle que vous croyez ! J'ai éliminé mon mari, je porte l'enfant d'un autre que lui, je n'aime pas cette maison, je n'ai pas l'intention d'y revenir jamais ! »

Au lieu de cela, lorsqu'Édouard a eu terminé, elle n'a su que bredouiller :

— Je ne peux pas accepter, c'est beaucoup trop.

Les deux hommes ont échangé un regard entendu. Indulgent ?

— Rassurez-vous, madame, vous avez tout le temps d'y réfléchir, a repris le banquier. Il s'agit seulement de propositions à soumettre au juge en charge de la succession.

Rassurée ? Comment pourrait-elle l'être jamais ? Elle a entendu la voix d'Olivia : « Je suis là, hardi ! » Dès demain, elle l'appellerait et, cette fois, elle lui dirait tout.

34

Quelle déception aurait été celle de Marie-Ange si elle avait pu voir le chauffeur ouvrir en premier à Aude la portière de la voiture, laissant le « roi Édouard » descendre seul – comme un malpropre ? – devant le fameux restaurant Lou Fassum où il l'avait conviée à déjeuner. Ce qui n'a pas empêché le chef-patron de venir le saluer en personne.

— Édouard, enfin ! Quel bonheur de vous revoir. De retour au bercail ?

« Si seulement », a pensé Aude.

Leur table avait été réservée sur la terrasse, à l'ombre des tilleuls, vue sur le golf de Théoule. Entre les pins, on pouvait voir la mer, le blanc d'une voile, le gris des rochers. Comme le chef les y guidait, des têtes se sont tournées vers eux, des regards ont suivi le grand parfumeur : sa mère aurait été rassurée !

Une carte a été remise à chacun. Devant la profusion de choix, Aude a vite refermé la sienne sous le regard amusé de son beau-père.

— Là aussi, c'est trop ?

Et, désignant le maître d'hôtel qui venait vers eux avec, sur un plateau, deux coupes de champagne :

— Il semblerait que pour l'apéritif on ne nous ait pas demandé notre avis.

— Avec les compliments de la direction, a dit celui-ci en posant les coupes devant eux.

Pas d'alcool... Aude s'est promis de refuser le vin qui leur serait certainement proposé avec le repas.

— Que diriez-vous d'un carpaccio de Saint-Jacques pour commencer, puis d'un chou vert farci, deux spécialités de la maison ? lui a proposé son beau-père. Pour le dessert, nous verrons où en sera notre appétit.

Elle a approuvé, Édouard a passé commande et, le maître d'hôtel parti, il a levé sa coupe.

— À vous, Aude. Et à votre avenir. Olivia m'a fait part de votre état. Sachez que cela ne change rien entre nous.

D'un coup, elle a senti ses joues s'enflammer tandis que son cœur battait la chamade : alors, il savait ? Quand il alignait les chiffres avec Desombre, il était au courant de son état ? Pourquoi pas le banquier aussi ?

— Mais... a-t-elle voulu protester.

— Il n'y a pas de « mais » qui compte, l'a arrêtée son beau-père. Veuillez m'écouter d'abord.

Lorsqu'à L'Héliotrope vient au monde le garçon qu'il espérait tant, c'est le bonheur et le soulagement. Il craignait que son épouse, qui chaque jour devient plus inaccessible, ne le lui donne jamais.

À peine deux kilos à la naissance, Isabelle accepte de le nourrir, ce qu'elle n'avait pas fait pour Olivia : le double de poids. On installe le berceau dans la chambre « Ambre ». C'est un bébé calme, qui « fait ses nuits », comme on dit. Même couleur d'yeux et de cheveux, mêmes longues jambes de faucheux, on assure qu'il ressemble à son père, ce qui l'enchante.

Dis, t'en souviendras-tu ?

Sitôt sevré, le berceau est poussé dans une autre chambre, ce qui n'empêche pas le petit, dès qu'il tient sur ses pattes, d'être tout le temps fourré dans celles de sa mère, ce qui crée une tension avec sa sœur qui n'a pas eu ce privilège. Est-ce pour cette raison qu'ils sont comme chien et chat, ou parce que leurs caractères sont à l'opposé ? Olivia, ardente, extravertie, expansive et sans complexe : du vif-argent. Emerick renfermé, solitaire, et qui peut rester des heures au pied du lit maternel à assembler ses Lego. Il manifeste peu ses sentiments. Les seules fois où on le voit pleurer, c'est au moment du baiser du soir donné à sa maman avant d'aller se coucher.

— On aurait dit qu'il craignait de ne la revoir jamais, constate le père. Une maman toujours fatiguée...

— Madame, monsieur, s'il vous plaît.

Le serveur a posé devant eux des assiettes recouvertes de cloches d'argent. Comme il les soulevait, toutes les deux en même temps, une délicieuse odeur de mer s'est répandue. Avec le carpaccio de Saint-Jacques, Édouard avait commandé un verre de vin blanc. Non merci pour Aude qui avait à peine trempé ses lèvres dans sa coupe. « Parfait », a-t-il dit au sommelier après avoir goûté le nectar. Ils ont commencé à manger en silence.

— Alors ? a très vite demandé Aude.

— Êtes-vous certaine que je ne vous ennuie pas ? Ne suis-je pas trop long ?

— Mais bien sûr que non !

Comment son beau-père pouvait-il lui poser cette question ? Elle était captivée. Elle avait même éprouvé une brève pitié pour le petit garçon aux

169

jambes de faucheux qui pleurait au moment du « baiser du soir », terrifié à l'idée de ne pas revoir sa mère.

— Ma première erreur a été de ne pas écouter les avertissements d'Olivia, que j'attribuais à de la jalousie, a repris Édouard. Elle parlait de relations malsaines entre sa mère et son frère. Elle assurait que celui-ci m'en voulait, me reprochant d'être la cause de sa dépression – ce qui n'était pas faux. Quand elle me disait craindre qu'il n'en vienne à me rejeter, je riais. Tout ce que je voyais était son excellence à l'école, ses dons, une mémoire étonnante. Et, très vite, il s'était intéressé aux parfums, se livrant à des expériences, des décoctions de plantes, à la recherche de nouvelles senteurs. Imaginez ma joie !

Les années passent. Isabelle ne quitte plus son lit. Ses repas lui sont montés sur des plateaux. Son médecin s'inquiète, il dit qu'elle se complaît dans sa maladie. Il la soupçonne d'abuser de certains médicaments. La chambre « Ambre » est désormais pratiquement interdite à Olivia et à lui, seul le fils y reste le bienvenu. Que mijotent-ils ensemble ? Après avoir passé son bac avec mention, Emerick s'est inscrit à l'université de Nice où il vise un diplôme en parfumerie.

— Il venait de l'obtenir quand Isabelle nous a quittés.

35

— Cela vous a plu ? a demandé le garçon.

Absorbé par son récit, Édouard n'a pas paru entendre.

— C'était délicieux, a répondu Aude.

Et il lui a semblé, comme Olivia, lui venir en aide. Le chou vert farci, servi avec du riz, a succédé au carpaccio : un plat savoureux, aux odeurs d'herbes, qui avait fait la réputation de Lou Fassum. Un autre jour, dans une autre vie, Aude se serait régalée, mais le regret de ne pas en être capable, mêlé à un sentiment de culpabilité, imprégnait les mets. Oui, « c'était trop ».

Ils ont fait semblant de déguster quelques bouchées puis son beau-père a repris :

— Très vite après la mort de sa mère, Olivia a filé en Australie chez de lointains cousins. Elle ne supportait plus son frère.

« J'ai découvert là-bas ce qu'était une vraie famille », avait-elle dit à Aude la veille.

Ses études terminées, Emerick était entré dans l'entreprise où il s'était d'emblée montré performant. Contrairement à ce que craignait son père, ses relations avec ses collaborateurs étaient bonnes et le succès international de « Topaze, l'eau bleue », sa création, lui avait valu le respect de tous.

Dis, t'en souviendras-tu ?

Eau de toilette dédiée à sa mère.

— Face à son attitude hostile envers moi, il m'arrivait de me demander si Olivia n'avait pas vu juste en prédisant qu'il ferait tout pour me supplanter, mais quelle importance puisqu'il était appelé à me succéder ? Puis il a rencontré Béatrice de Menthon.

Le cœur d'Aude s'est serré. Béatrice, la petite sœur envers laquelle il lui avait semblé avoir contracté une dette et dont elle s'était promis d'éclaircir le trop bref parcours pour mieux comprendre sa capitulation face à un même tyran. Allait-elle, grâce à son beau-père, y parvenir ?

— Jusque-là, aucune fille, aucune femme n'avait semblé intéresser Emerick, a-t-il poursuivi. On ne lui connaissait que de brèves aventures, ce qui, bien sûr, me souciait.

Et voilà qu'il semblait vraiment épris. Et payé de retour. Les parents de la jeune fille, Irène et Jean-Marie de Menthon, paraissaient favorables à cette union. Comme tous à Grasse, ils ignoraient les difficultés familiales des Saint Georges – secret bien gardé. La mort d'Isabelle n'avait étonné personne. On la savait malade... depuis toujours.

— Aurais-je dû les avertir du caractère particulier de mon fils, au risque de tout faire capoter ? Je ne m'en suis pas senti le droit. J'ai voulu espérer que l'amour, la réussite professionnelle d'Emerick finiraient par le rendre plus sociable, plus « aimable », digne d'être aimé.

Ainsi, peu de temps après le mariage, tout semblant bien se passer, lui avait-il confié les rênes de l'entreprise avant de rejoindre Olivia à Sydney où elle-même s'apprêter à convoler.

Dis, t'en souviendras-tu ?

Le grand parfumeur s'est interrompu, le front barré de rides. « Une fuite », avait commenté le père d'Aude lorsqu'il lui avait parlé du « roi Édouard ».
— Deux années plus tard, la pauvre enfant disparaissait. Et, lisant dans la presse les accusations d'Irène de Menthon rendant mon fils responsable de la mort de sa fille, je n'étais pas étonné, Aude. Je savais.
« Aude ». Il avait prononcé son prénom avec désespoir. Et c'est avec colère qu'il a repris :
— Mais ma faute, ma très grande faute, a été de ne pas sauter dans le premier avion pour vous avertir du danger quand Evangelos m'a appris qu'Emerick s'apprêtait à se remarier. Avec vous.
« Tu es son remords permanent », avait dit Olivia.
— Je ne vous aurais pas écouté ! s'est écriée Aude.
— Je vous y aurais obligée, en vous disant ma certitude qu'après avoir aidé sa mère à partir, Emerick avait fait de même avec Béatrice, cette fois sans lui demander son avis.
Abus de somnifères. Aude a frémi : elle aussi savait ! Son beau-père venait simplement de le lui confirmer.
Il a pris sa main.
— C'est pourquoi rien ne pourra me rendre plus heureux que de vous voir trouver enfin un peu de bonheur avec Rémi. Est-ce bien ainsi qu'il s'appelle ?
Il est des rois plus grands de reconnaître leurs erreurs. À l'affection qu'Aude avait immédiatement ressentie pour son beau-père s'est ajouté le respect.

Que s'est-il passé après ? Il a insisté pour qu'elle prenne un dessert, lui-même s'en abstenant. Et, tout en dégustant avec une longue cuillère le délicieux sorbet aux pêches couronné de meringue qu'il avait

173

choisi pour elle, Aude se disait que c'était quand même un peu bête de venir dans un tel endroit, goûter à des mets si délicieusement raffinés pour en profiter si peu.

À un moment, un homme âgé s'est approché de leur table. Il a exprimé à Édouard son bonheur de le voir revenu. Et alors que celui-ci la lui présentait : « Aude, ma très chère belle-fille », elle a éprouvé une sorte de fierté, comme si, avec ces mots, il achevait de la réconcilier avec elle-même.

Le chauffeur les attendait non loin de la terrasse. Elle s'est demandé s'il avait déjeuné. Durant le trajet qui les ramenait à Grasse, les mots du chef à Édouard ne cessaient de lui revenir : « J'espère que tout va s'arranger pour vous. Revenez vite nous voir. » Reviendraient-ils ensemble ? À plusieurs reprises, elle a senti son regard sur elle, protecteur. Et, le moment venu de le quitter, elle lui a tendu tout naturellement ses joues.

« Tout va bien », avait-elle laissé sur le répondeur du docteur Armand. Pour le « meilleur des mondes », ne venait-elle pas d'avoir une nouvelle preuve qu'il n'existait que dans l'imaginaire des hommes ?

36

Un matin, Aude avait 10 ans, son père l'avait emmenée au Jardin des Plantes et là, calé au tronc d'un chêne, elle entre ses jambes, prisonnière de ses bras, il lui avait demandé la permission de divorcer. Elle n'avait jamais oublié ses paroles : « Si ma petite fille chérie le veut bien, je vivrai sous un autre toit, mais pas loin, promis. » Et, le cœur las des constantes récriminations de sa mère, elle avait dit oui. Hervé avait tenu parole : l'autre toit se trouvait à une quinzaine de minutes de la rue Kalin, à allure d'escargot. Et, ce qui ne gâchait rien, du haut de ses 60 m², il pouvait apercevoir celui de son cher musée.

Il était rare qu'il reçoive. Il n'aimait pas cuisiner, prétendant que l'odeur de graillon s'immisçait jusque dans ses oreillers. Mais ce soir-là, veille de 14 Juillet, il avait décidé de réunir la famille chez lui pour évoquer les projets de vacances de chacun.

Basile était déjà là lorsqu'Aude et sa mère sont arrivées. Tout le monde s'est embrassé joyeusement, Hervé a félicité Marie-Ange qui étrennait une robe au décolleté osé, son frère débouchait le champagne en lui adressant des sourires complices : « Une vraie famille malgré le divorce », s'est-elle félicitée. Celle dont Olivia s'était plainte d'avoir été privée durant son enfance et qu'elle était allée chercher en Australie.

Ils ont commencé par prendre l'apéritif près de la fenêtre ouverte, vue sur la maison de Jean-Baptiste Fragonard. Aude a accepté une coupe, se promettant de ne faire qu'y tremper les lèvres et, sans surprise, la conversation a démarré sur l'Égypte, le voyage au Caire que le « fils prodige » avait, comme promis, organisé pour sa mère et ses copines du samedi soir. Inscrites dans une agence choisie par lui, il avait retenu là-bas un guide qui les conduirait sur des sites dont il avait dressé la liste. Voyage sur mesure où Toutânkhamon tiendrait une place de choix et auquel Basile avait ajouté les coordonnées de quelques connaissances en ville et une liste de restaurants à ne pas manquer. Envol début août.

— Et moi, j'ai l'air de quoi avec mon saut de puce dans les Alpes ? a feint de se plaindre Hervé qui n'aimait rien tant que le silence vert-bleuté de sa montagne préférée.

Marie-Ange a eu un sourire gourmand.

— Tu n'as qu'à venir avec nous.

— C'est ça, pour te faire dévorer tout cru par ces belles dames ! a ironisé Basile.

Et la belle dame n'a pas démenti.

Ils sont passés à table. Au menu : fleurs de courgette farcies, médaillons de saumon et salade de fruits. Le tout commandé à un traiteur et accompagné d'une bouteille de rosé. Aude a posé sa coupe à peine entamée devant son assiette, déclarant qu'elle continuerait au champagne.

— Et toi, fils, tes vacances ? a demandé leur père à Basile.

— Moi, nulle part. Les voyages, avec le boulot, je n'en manque pas. *Farniente* en compagnie sur les galets de Nice et surveillance de ma petite sœur que tout le monde semble oublier.

— Pas tout le monde ! a lancé Marie-Ange. La belle-famille est de retour. Pour Aude, c'est champagne tous les jours et chauffeur à disposition. Apparemment, la nouvelle avait échappé aux hommes qui ont ouvert de grands yeux.

— Et tu ne m'as rien dit ? a reproché Basile à sa sœur.

— Je croyais le grand reporter au courant, a-t-elle plaisanté.

Elle n'a raconté que le minimum : l'accueil chaleureux de son beau-père, l'ébouriffante Olivia et sa découverte qu'elle était loin d'être une inconnue pour eux. Terminant par leur intention de rester un moment à Grasse afin de traiter les problèmes soulevés par la disparition d'Emerick.

— Le pauvre ! a soupiré Marie-Ange. Saura-t-on jamais ce qui lui est arrivé ?

— Le pauvre... le pauvre... Personnellement, je dirais plutôt « bon débarras », lui a renvoyé Basile. J'en connais qui ne le regrettent pas.

— Comment peux-tu dire ça ? s'est indignée sa mère. (Et à Aude :) Et toi, qu'attends-tu pour défendre ton mari ?

— C'est vrai que la vie était loin d'être drôle avec lui, a-t-elle répondu maladroitement, se mordant les lèvres.

— Drôle, drôle, la vie l'est-elle jamais avec un grand inventeur ? J'espère au moins que tu lui reconnais ça.

Soudain, Aude a revu son beau-père au restaurant Lou Fassum. Elle a entendu sa voix : « Ma faute,ma très grande faute... » Le « roi Édouard » qui ne transigeait pas avec la vérité : l'homme droit. La honte a brûlé ses joues.

— Peut-être un grand inventeur mais aussi un tyran.

— Un tyran, rien que ça ! s'est de nouveau indignée sa mère.

— Rendu fou par son impuissance.

Le regard de Basile a volé vers elle, incrédule. Celui de son père, atterré : il la croyait. Jamais il n'avait mis sa parole en doute. Une sorte de jouissance l'a saisie : terminé avec la comédie.

— Son impuissance ? a répété sa mère, soufflée.

— Confirmée par ma gynécologue.

Un lourd silence est tombé sur les fleurs de courgette intactes. Décidément, elle avait l'art de casser les repas de fête. Mais était-il juste que sa belle-famille soit au courant de son état et pas ses propres parents ? Et elle l'a dit.

— Maman, j'attends un enfant.

Inattendu, le rire de Marie-Ange a éclaté.

— Si j'ai bien compris ce que tu viens de dire à propos de ton mari : l'enfant du Saint-Esprit.

— Celui de Rémi.

Le regard de sa mère a volé vers Basile. Résigné, celui-ci a incliné affirmativement la tête. Un cri du cœur a alors échappé à Marie-Ange.

— Mais ton beau-père, qu'est-ce qu'il va dire ?

— Mon beau-père est au courant, il est ravi. Son seul souhait est de me voir m'installer à L'Héliotrope avec ma petite famille.

Voilà, tout était dit. Elle a empoigné sa fourchette, les autres l'ont imitée. Tout ? Vraiment ?

— Et ton Rémi, il en pense quoi ? a demandé son père d'une voix fausse à souhait, tentant d'alléger l'atmosphère, et de lui faire savoir qu'il était avec elle.

— Du côté de l'heureux père, les choses se compliquent. Figurez-vous qu'il n'est pas au courant, l'a devancée Basile, son humour retrouvé. La fourchette de Marie-Ange a tinté sur son assiette. Son visage était cramoisi. Si elle a évité l'infarctus, c'est que son cœur était solide. Et c'est celui d'Aude qui s'est décroché quand son frère lui a rendu la monnaie de sa pièce.

— À propos, l'artiste rentre demain du Caire pour admirer les feux d'artifice avec toi. D'accord pour aller le chercher ensemble à l'aéroport ?

37

Et si, la retrouvant, l'artiste était déçu ? Si, en Aude, aucune lumière ne s'allumait à sa vue ? Que l'un et l'autre n'avaient fait que s'inventer un beau rêve ? Si, apprenant qu'elle était enceinte, Rémi lui reprochait son silence et sa décision de garder le bébé sans lui demander son avis ? Ou, pire – sait-on jamais ? –, si les tests révélaient que ce bébé n'était pas de lui mais d'Emerick, et que leur histoire s'arrêtait là ?

Après un dîner expédié où Marie-Ange – rarissime – n'avait plus prononcé un seul mot, redoutant de se retrouver en tête à tête avec elle, la « brave » avait accepté l'invitation de son père à rester dormir chez lui. Et, même s'il s'était efforcé de la rassurer en lui rappelant la certitude de Basile que Rémi l'aimait trop pour ne pas accepter l'enfant qu'elle portait, le manège empoisonné des « si » avait tourné toute la nuit dans sa tête. Combien de fois avait-elle collé son portable à son oreille : « Oh, mon cœur... »

L'avion se posait à 15 h 10 à l'aéroport de Nice-Côte d'Azur. Son frère lui avait donné rendez-vous dès 14 h 30 à la cafétéria. Repassant chez elle pour se changer, Aude a eu l'heureuse surprise de ne pas y trouver sa mère. Partie s'épancher auprès de ses amies ? La veille, elle avait eu la bonne idée d'aller chez le coiffeur. Elle s'est légèrement maquillée et, refusant de porter la robe ample-mensonge, elle a revêtu une jupe dont le bouton du haut s'est refusé à fermer et une chemisette qui, si on en écartait les pans, révélait son ventre légèrement bombé. Ce soir, Rémi saurait tout. S'il devinait avant, tant pis, tant mieux.

Sitôt prête, elle a commandé un taxi pour l'aéroport : n'était-elle pas riche ? Et elle a attendu Basile à la cafétéria en grignotant un sandwich. Elle avait tout simplement oublié de déjeuner.

— Pourquoi as-tu attendu la dernière minute pour m'annoncer que Rémi rentrait aujourd'hui ? a-t-elle attaqué une fois celui-ci attablé en face d'elle.

— Pour la bonne raison que lui-même ne s'est décidé qu'au dernier moment, plantant là équipe et matériel dont le retour n'était programmé que mardi prochain. Cédant, paraît-il, à une pulsion : prendre la Bastille avec toi demain.

Et, comme Aude demeurait incrédule :

— Aurais-tu oublié le temps où tu exigeais qu'il te prenne sur ses épaules pour « voir le ciel de plus près » ? À part ça, je te rappellerai que tu ne t'es pas gênée pour déballer tout le paquet aux parents sans me demander mon avis.

— Une pulsion, a-t-elle tenté de plaisanter.

Et sa voix s'est cassée.

Basile a posé sa main sur la sienne :

— Allez, on oublie.

Et, désignant son visage maquillé et sa chemisette fleurie.

— Je vois qu'on s'est mise en frais ?

Aude a posé sa main sur son ventre.

— Basile, j'ai peur. Qu'est-ce que Rémi va dire quand il saura ? J'ai eu tort de ne pas lui parler du bébé. J'aurais dû accepter ta proposition de l'appeler au Caire pour lui faire part de la « bonne nouvelle ». Tu te souviens ?

— Coca-vodka, place des Aires. Et la nouvelle reste excellente. Monsieur va triompher.

Triompher, rien que ça ! La tentation est venue à Aude de demander à son frère de le lui annoncer lui-même. Non ! Terminé, la lâcheté. Elle s'est contentée de lui faire promettre de ne pas les laisser seuls trop vite, lui accorder le temps de s'acclimater au frère, ami, amant. Et père de son enfant.

Le long garçon brun qui venait tranquillement vers eux, portant pour tout bagage un gros sac à dos d'où dépassait l'objectif d'un appareil photo, elle l'a tout de suite reconnu. Et trouvé beau. Rien à voir avec la beauté virile de Basile, plutôt une sorte de grâce, une élégance naturelle, comme une délicatesse. Et lorsqu'il s'est arrêté près d'elle, dans son regard, une interrogation anxieuse qui rejoignait la sienne et l'a rassurée.

Elle s'était demandé s'il l'embrasserait, et comment ? Il s'est contenté de se courber en deux – car il était aussi grand que Basile – et il a effleuré ses lèvres des siennes : « Mon cœur, il me tardait tant ! » Elle n'a plus douté que l'enfant qu'elle portait était de lui.

Dans le taxi, Basile s'est installé d'autorité près du chauffeur, leur abandonnant la banquette arrière. « Au port, s'il vous plaît », a-t-il demandé, prenant la direction des opérations. La voiture a démarré, les doigts d'Aude et de Rémi se sont tout naturellement entrelacés. Le frère, l'ami, l'amant et le père de son enfant étaient là. De quoi avait-elle eu si peur ?

Dis, t'en souviendras-tu ?

Envahi par la foule, le port pavoisait : drapeaux tricolores aux fenêtres, voiles des bateaux gonflées par le vent, musique à chaque coin de rue. Ils ont trouvé non sans mal une table à la terrasse d'un café où ils ont commandé des bières pour les garçons, une eau pétillante pour la fille et un grand bol de chips. Ils ont parlé de l'Égypte, du tournage et de leur cher journal.

Et aussi d'un sombre 14 Juillet où un terroriste, au volant d'un camion, avait semé la mort à Nice, sur la promenade des Anglais. Pas un mot de ce qu'avait subi Aude : la disparition de son mari, sa mémoire anéantie, la vie en mille morceaux. Elle faisait semblant de suivre la conversation, souriait, posait une question. Mais alors qu'elle avait redouté un tête-à-tête avec Rémi, elle n'avait plus qu'une hâte : que son frère dégage et que s'arrête la comédie.

Basile a fini par se lever et il a disparu à l'intérieur du café. Ils ont fait semblant de l'attendre, semblant de s'étonner quand le garçon leur a dit que leur ami avait payé les consommations et qu'il était parti. Rémi a remis son sac sur ses épaules, il a tendu la main à Aude et il a prononcé les plus beaux mots du monde : « Allez, viens. »

38

Elle reconnaît l'étroite ruelle où, sur des fils tendus entre deux fenêtres, sèche le linge de la maison, parfois un drap agité par la brise. Elle reconnaît les odeurs d'herbes et d'épices mêlées aux voix des femmes, au cri d'un enfant, une bouffée de musique. Odeurs d'un jour comme les autres près d'un port d'où partent les bateaux.

Montant les trois étages menant au studio de son marin, elle revoit la femme éperdue, pleine de sanglots et de désespoir, qui venait s'y abriter, redoutant chaque fois que ce ne soit la dernière et sa main va automatiquement chercher la clé dans la cachette, derrière le compteur du gaz.

Elle reconnaît le lit étroit, la table de jardin et ses deux chaises cannelées, le placard où elle rêvait de se cacher, tout au fond, derrière les vêtements de son sauveur, et y rester des jours, des semaines, des mois s'il le fallait, jusqu'à ce que l'ogre l'ait oubliée, tout en sachant que, dans son histoire, c'était toujours l'ogre qui gagnait, finissant par la retrouver.

Rémi laisse tomber son sac sur le plancher et la prend contre lui. Il l'y garde longtemps, sans bouger, lui communiquant sa chaleur, lui confirmant que la tempête est passée, le bateau rentré au port. Mais elle s'est promis de tout lui dire, tout de suite, ne pas reconstruire sur des omissions ou du mensonge, alors elle se détache de ses bras, s'assoit au bord du lit. Et, comme il l'y rejoint, sans plus la toucher, plonge ses yeux dans les siens pour l'encourager à parler, elle se souvient de toutes ces heures très chastes où il l'aidait à sortir de son cœur les mots brûlants de la honte et du désespoir. Et il lui semble renouer le fil provisoirement rompu d'une histoire de vie, de mort et d'espoir malgré tout.

— Rémi, après ton départ pour l'Égypte, j'ai dit à Emerick que j'allais le quitter. Je ne le supportais plus. Il me semblait que, si je me taisais, c'en serait fini de moi, de nous. Il m'a emmenée à La Croix Notre-Dame, près de Gourdon, le village où sa mère était née, et il a tenté de m'étrangler, alors je l'ai poussé dans le ravin.

Et, sans hésitation, sans mettre une seule seconde sa parole en doute, il répond :

— Si tu l'as fait, c'est qu'il ne t'a pas laissé le choix.

Elle se rapproche un peu plus de lui.

— J'attends un enfant de toi.

Et là, d'une voix brouillée d'homme intimidé par le mystère des femmes, il murmure :

— Est-ce que je peux le toucher ?

Et elle guide sa main sous sa chemisette et l'appuie là où revient la vie.

Un peu plus tard, ils ne s'étaient pas encore embrassés ni caressés, et ça n'avait pas la moindre importance, c'est Rémi qui a parlé. Et tandis qu'il racontait à Aude leur histoire, les derniers voiles se sont levés sur sa mémoire.

Dis, t'en souviendras-tu ?

Lorsqu'il avait appris qu'elle allait épouser Emerick Saint Georges, il avait été profondément malheureux mais s'était résigné, convaincu qu'elle ne l'avait jamais aimé et ne l'aimerait jamais autrement que comme un frère supplémentaire.

Durant plus de deux ans, il ne l'avait vue que lors de réceptions données à L'Héliotrope, jamais seule. Quand il demandait de ses nouvelles à Basile, celui-ci se mettait en colère, accusant Emerick de tout faire pour la séparer de sa famille et de ses amis, ajoutant que le pire était qu'Aude paraissait s'en accommoder.

— Et puis un jour, tu m'as appelé. Tu semblais affolée, tu voulais me voir tout de suite, surtout, je ne devais en parler à personne. Et nous nous sommes retrouvés ici pour la première fois.

Sa transformation l'avait bouleversé. Où était la jeune fille candide et enthousiaste ? En face de lui se trouvait une femme au regard éteint, apeurée, perdue.

— Tu m'as raconté la jalousie maladive de ton mari, ton impression qu'il cherchait à te détruire, ta terreur qu'il n'y parvienne.

Il aurait voulu avertir Basile, chercher avec lui le moyen de sortir Aude des griffes du tyran, mais elle s'y était refusée, craignant à juste titre qu'apprenant son calvaire, Basile ne se précipite à L'Héliotrope et n'assène à Emerick ses quatre vérités, et après ? Non, elle préférait attendre d'être plus forte, d'y voir plus clair.

La main de Rémi est venue sur la sienne.

— Une boule d'épouvante, voilà ce qu'il avait fait de toi.

Alors, du mieux qu'il avait pu, il l'avait réconfortée. Il s'était engagé à être toujours là pour elle, prêt à la défendre s'il le fallait, à l'emmener loin si elle le lui demandait. Ce soir-là, il lui avait avoué qu'il l'aimait depuis toujours. Et, riant dans ses larmes, elle avait répondu que si elle se trouvait là, c'était sans doute qu'elle l'aimait aussi.

Il avait caché pour elle le double de ses clés derrière le compteur du gaz et chaque fois que c'était possible, à chaque absence un peu prolongée de son mari, elle venait dans sa Twingo se réfugier chez lui.

— Tu disais que j'étais ton havre, ton abri. Que je t'apportais la lumière qui te permettait de tenir. Peu à peu, les forces te revenaient. Il t'arrivait même de parler d'avenir.

Il a ri en montrant le placard :

— Tu me demandais de t'y enfermer jusqu'à ce que ton mari t'ait oubliée et je te disais : « Chiche ! » Et puis un jour...

Il s'est interrompu, gagné par l'émotion. Très doucement, Aude s'est détachée de lui et elle est passée dans la kitchenette. Elle reconnaissait la table rabattable, le tabouret au coussin rouge, le minuscule réfrigérateur, vide, bien sûr. Demain, il faudrait le réapprovisionner, oui demain, ensemble !

Elle a rempli deux verres au robinet et elle est revenue à lui. Ils ont bu un moment en silence. Entre eux, le silence n'avait jamais posé de problème. Il a repris :

— Et puis, un jour, revenant du journal, je t'ai trouvée effondrée, en sanglots sur le lit : Emerick avait des soupçons, il s'était montré violent. Il t'avait confisqué les clés de la Twingo.

« Vous voilà enfin ! D'où venez-vous encore ? »

Elle s'était défendue comme elle avait pu, prétextant être allée voir une amie, niant avoir une liaison – ce qui était vrai. Et, quelques jours plus tard, profitant d'un voyage de son mari en Italie, elle s'était précipitée chez lui.

— Ce soir-là, tu m'as révélé son impuissance, les traitements indignes qu'il t'infligeait. Tu m'as demandé de t'aimer : je serais le premier.

Elle se souvient de ses bras autour d'elle, de ses baisers qui effaçaient, lui semblait-il, ceux odieux de son mari. De cette fièvre, ce besoin ou plutôt cette obligation de se perdre, disparaître en lui. Elle entend la voix de Rémi, craignant de blesser son corps meurtri : « Attends, attends, rien ne presse, mon cœur, nous avons tout le temps. » Il avait toujours préféré « mon cœur » à « mon amour ». Il n'aimait pas l'expression « faire l'amour ». L'amour ne se fabrique pas, il est. Ils s'étaient aimés.

Dans la tête d'Aude, les images, les souvenirs se bousculent. Après cette nuit-là, combien de fois s'étaient-ils revus avant qu'il ne parte pour son tournage en Égypte avec Basile ? Trois ? Quatre ? Dans ses bras, elle revenait à la vie. Le temps qu'il plante cette vie en elle.

Le visage de Rémi s'est assombri : le tournage, oui. Lui chef opérateur, quinze bonshommes sous ses ordres. Il redoutait qu'en son absence Emerick ne se venge et il était prêt à tout lâcher pour rester près d'elle, quitte à perdre son boulot. Aude l'en avait dissuadé. Elle affirmait avoir repris suffisamment de forces pour tenir jusqu'à son retour. Et dès qu'il serait revenu, ils s'enquerraient d'un avocat pour parler divorce : le mot était enfin prononcé.

Lors de leur dernière rencontre, il lui avait fait jurer d'être prudente. Elle avait promis de l'appeler régulièrement. Elle ignorait qu'il était décidé à revenir plusieurs fois durant le long, le trop long tournage, pour s'assurer qu'elle tenait bon. Au besoin, il dirait tout à Basile.

— Et, quelques jours seulement après notre arrivée au Caire, Basile recevait un appel désespéré de ta mère, lui apprenant que tu étais à l'hôpital et que ton mari avait disparu.

« Oh, mon cœur, de toutes mes forces, je pense à toi. »

39

La nuit est tombée. Le soleil fait ses adieux au ciel en le parant de rayures rose-orangé. Dans la rue, peu à peu les bruits se sont faits plus feutrés. C'est du port que monte la rumeur de la fête et, sur la plage, des impatients doivent déjà faire sauter les bouchons de champagne. Étendue sur le lit étroit à côté de Rémi, Aude s'abandonne. Ce qui change tout, c'est qu'elle a pu le croire lorsqu'il lui a dit, en déboutonnant les boutons de sa chemisette, puis ceux de sa jupe : « Désormais, nous ne nous quitterons plus. » C'est quand, aidant Rémi à retirer ses vêtements, pas une seconde elle ne s'est imaginée se cachant au fond du placard.

Après l'avoir longuement embrassée, c'est à son ventre, à l'enfant, que sont allées ses premières caresses. Il y a longtemps attardé ses lèvres avant de remonter jusqu'à ses seins. Et, c'est idiot, mais elle a été contente qu'ils soient un peu plus gros grâce au bébé. Elle les a toujours trouvés trop petits, même s'il assurait que ça leur permettait de se dresser crânement lorsqu'il tentait de les apprivoiser.

Le caressant à son tour, elle reconnaît le corps fin, long et ferme, les boutons durs de la poitrine, le doux et fin sentier qui descend du nombril à la futaie où ne se dresse qu'un seul arbre qu'elle enserre entre ses doigts.

Lorsque sa main à lui descend, encore, encore, pour s'arrêter là, elle se souvient de la brûlure ressentie sur la table d'examen du docteur Prévost et elle ne peut s'empêcher d'avoir un peu peur. Mais sous les pressions infiniment douces, redoutablement précises de son héros, toute peur disparaît tandis que montent des ondes de chaleur qui prennent possession de son corps et l'obligent à abdiquer. Et c'est elle qui le prend et le guide en elle, soulevant son bassin pour mieux l'accueillir, se soumettre à son rythme, l'accompagner, jusqu'à ce qu'il retombe, foudroyé à ses côtés. Et qu'importe si elle n'a ressenti que de timides et trop brefs embrasements, si le grand frisson vanté partout, revendiqué par toutes, ne l'a pas emportée, le jour viendra.

Ils sont arrivés sur la plage quelques minutes avant l'envoi des fusées. Et les centaines, les milliers de visages renversés vers la nuit, en attente de lumière, de beauté, formaient comme un même cri d'espoir.

« Tu exigeais que Rémi te prenne sur ses épaules pour voir le ciel de plus près », lui avait rappelé Basile. Le ciel les a enveloppés tel un manteau de gloire, c'est pour eux qu'il s'est embrasé, c'est eux que la foule a applaudis et Aude a bu le champagne aux lèvres de son amant.

40

— Où es-tu ? Appelle !

La voix péremptoire de sa mère dans son portable qu'Aude avait volontairement oublié durant les dernières vingt-quatre heures, l'a ramenée sur terre. « Appelle »... Elle y a perçu une fêlure. N'avait-elle pas, en démolissant son mari lors du dîner organisé par son père, anéanti en quelques phrases tous les rêves de grandeur de Marie-Ange ?

Samedi, 10 heures. Elle prenait avec Rémi un petit déjeuner-pèlerinage sur le port, au café où Basile les avait emmenés... puis planté là la veille. Café désert en ce lendemain de fête. Il lui a proposé de la raccompagner rue Kalin et, quarante-cinq minutes plus tard, elle lâchait sa main pour la première fois depuis qu'il avait prononcé les mots magiques : « Allez, viens ! »

— Ne crois pas que tu vas t'en tirer comme ça !

La « belle dame » – plus belle du tout – l'attendait dans la cuisine en peignoir défraîchi. Défraîchi également son visage nu et sa mise en plis raplapla. S'il n'y avait, sur la table, comme un appel, le rond de serviette et le bol à son nom – sachet de thé prêt à l'intérieur –, Aude rirait. Oh, pas un rire méchant, un rire indulgent envers celle qui l'avait toujours traitée comme une gamine dissipée : j'ai grandi, maman. Ouvre les yeux, regarde-moi telle que je suis et non pas telle que tu voudrais me voir. Accepte celui que j'aime. Sache que, s'il n'avait pas été là, Emerick aurait gagné et que ce rond de serviette, ce bol, préparés pour moi, auraient rejoint, sur les étagères du haut, les objets qui te rappellent trop de souvenirs pour que tu te décides à les jeter.

Elle a effleuré de ses lèvres le front de sa mère, s'est attablée, a versé l'eau chaude de la bouilloire sur le sachet.

— Maman, je t'avais laissé un mot sur cette table pour t'avertir que je ne rentrerais pas dormir.

— Sans me dire où tu allais.

— Tu le savais parfaitement : chez Rémi.

— Alors, c'est vrai, cette histoire de fou ?

C'est vrai, oui. Mais c'est plutôt une histoire aux couleurs de conte de fées, auquel, s'éveillant ce matin dans les bras du prince charmant, elle avait du mal à croire.

Tout en buvant son thé, elle a tenté de faire comprendre à Marie-Ange qu'elle vivrait désormais à Nice avec Rémi. Ce qui ne l'empêcherait pas – promis juré – de venir souvent la voir. Et, pour adoucir la nouvelle, elle est revenue à son beau-père. Non seulement le « roi Édouard » acceptait la situation mais, se reprochant de ne pas l'avoir avertie du danger qu'elle courait en épousant son fils, il lui avait proposé de s'installer à L'Héliotrope et y mener la grande vie.

— Mais pourquoi tu ne m'as rien dit pour ce monstre ?

Aude a souri : après le grand savant, le monstre ! Pas dans la nuance, Marie-Ange.

— La honte, maman. Et aurais-tu accepté de m'entendre ?

Marie-Ange a introduit une tartine dans le toaster. Une fois grillée, elle l'a abondamment beurrée, double couche de confiture d'abricots, sa préférée... et l'a fait glisser devant Aude : offre de paix ? Aude s'apprêtait à lui parler de son étonnante belle-sœur quand son portable a sonné.

— Coucou, c'est Olivia ! Je suis en bas. On peut se voir ?

Ou l'art de tomber au bon moment.

— Monte. Deuxième étage.

Et avant que sa mère ait pu réagir, elle lui ouvrait la porte et l'introduisait dans la cuisine. Y découvrant Marie-Ange, Olivia a eu un cri du cœur.

— Moi qui rêvais de connaître la maman de ma belle belle-sœur !

Et elle a appliqué sur les joues de celle-ci, complètement larguée, deux baisers sonores. Puis, désignant les bols sur la table :

— Je peux m'inviter ?

Elle, c'était un café allongé. Et, tout en le buvant à petites gorgées, elle a confirmé que le conte de fées existait. Si elle avait fait avec son père le long voyage de Sydney à Grasse, c'était pour rencontrer Aude et l'aider à se construire un avenir après les turbulences traversées durant son mariage. Et rien ne les rendrait plus heureux que de la voir s'installer à L'Héliotrope avec sa petite famille. À ce propos, chère Marie-Ange, accepteriez-vous de venir y déjeuner dimanche en huit avec votre ex et Basile ? Merci de les avertir. Bien sûr, le chauffeur viendra vous chercher : 12 h 30, ça vous va ?

Le chauffeur a emporté le morceau.

Dis, t'en souviendras-tu ?

Durant la petite heure qu'a duré la visite d'Olivia, elle a réussi à ne pas prononcer une seule fois le nom d'Emerick. Passé par pertes et profits ?

À présent, Aude et sa belle-sœur flânaient bras dessus bras dessous dans la ville engourdie en ce lendemain de réjouissances. Place des Aires, des hommes en gilets fluo poussaient du bout de leurs balais des gobelets en plastique, des bouteilles vides, des drapeaux tricolores en papier vers des machines rugissantes.

Arrivant boulevard de Jean de Ballon où se trouvait la banque d'Ernest Desombre, Aude s'est souvenue de la promesse qu'elle s'était faite lorsque le « roi Édouard » avait énuméré ses mirifiques projets pour elle. Le moment était venu de la tenir. Hardi !

— Olivia, je ne t'ai pas tout dit. Je t'ai caché quelque chose d'important. Je me suis également tue avec ton père. Je ne mérite pas votre générosité.

Alertée par la gravité de sa voix, celle-ci s'est arrêtée.

— C'est si grave que ça ?

— Oui, c'est grave, très. Emerick ne reviendra pas. Je l'ai balancé dans le ravin à La Croix Notre-Dame. Là où on a retrouvé la voiture, portières ouvertes, et moi dans les pommes.

À peine si Olivia s'est étonnée.

— Et alors ? Si tu l'as fait, c'est que tu devais avoir de bonnes raisons. Sans compter que le frangin a toujours été nul en sport et que, ton ravin, il est bien fichu de s'y être balancé tout seul.

Un pantalon baissé, un coup de genou violent entre les jambes, Emerick vacille. Aude s'enfuit, son pied bute sur une pierre. Plus rien.

Et si ?

41

Enfin, la pluie tombait. Elle tombait sur les champs desséchés, la vigne en bourgeons, la statue diaphane de la Princesse Pauline, les orangers du musée de la Parfumerie, les nénuphars de l'étang de Fontmerle et sur toutes les chapelles Notre-Dame où, ces derniers temps, Aude s'était agenouillée. Une pluie tiède, douce, têtue, apaisant les brûlures du soleil et celles de la vie. La pluie comme un pardon, une absolution.

Il pleuvait rue de l'Oratoire, à Grasse, où Aude en ciré, capuche baissée, se hâtait vers le cabinet du docteur Armand. Lors de leur dernière rencontre, une quinzaine auparavant, elle s'était inquiétée à l'idée de devoir annoncer à Rémi qu'elle était enceinte. Alors, elle avait encore du mal à s'imaginer dans ses bras, elle n'était pas certaine que le bébé était de lui. « Pour la brave que vous êtes, ce sera un jeu d'enfant », lui avait-il lancé. Brave ? Il avait suffi que Rémi pose ses lèvres sur les siennes : « Mon cœur, il me tardait tant ! », pour qu'elle ne doute plus. Oui, il était bien le père du bébé qu'elle portait, et toute peur s'était dissipée.

La pluie tambourinait aux carreaux de la fenêtre du bureau assombri tandis qu'elle racontait au médecin ses retrouvailles avec Rémi, leur long, patient et tendre échange. Et tandis qu'elle lui livrait tous les détails de leur histoire d'amour, les derniers verrous cadenassant sa mémoire sautaient les uns après les autres. Jusqu'à la libération : leurs corps liés, cette fois dans la joie.

Durant leur toute première séance, alors qu'affolée, perdue, elle avait demandé au psychiatre de l'aider, il lui avait affirmé : « Le chemin sera long et difficile, mais sachez que nous le ferons ensemble.» Il avait tenu parole, l'avait accompagnée, soutenue, jusqu'au bout de ce chemin et, si elle ne l'en remerciait pas, c'est qu'elle connaissait sa réponse : « Ce chemin, c'est vous et vous seule qui l'avez accompli.»

Lors d'une autre séance, il avait constaté : « À présent, il va vous falloir aller à la rencontre de votre mari.» C'était chose faite, grâce à Édouard Saint Georges.

Elle lui a raconté le retour de celui-ci d'Australie avec Olivia, la sœur aînée d'Emerick. Elle lui a dit l'homme droit, généreux et compréhensif qui s'inquiétait d'elle sans qu'elle s'en doute, plein du remords de ne pas l'avoir avertie à temps de la dangerosité de son fils. Un fils ardemment désiré et qu'il avait craint de n'avoir jamais, sa femme, Isabelle, étant clouée au lit par la dépression.

Elle lui a décrit le petit garçon aux jambes de faucheux qui pleurait en donnant à sa maman le baiser du soir, redoutant de ne la revoir jamais. Le frère qui ignorait une sœur trop différente de lui, l'écolier appliqué, l'étudiant brillant et tourmenté, peu à peu envahi par la haine d'un père qu'il jugeait coupable de la maladie de sa mère, le parfumeur très doué.

Puis elle en est venue à Olivia.

Chaque fois qu'elle prononçait son nom, comme une vague de joie la parcourait : la femme protectrice, compréhensive, positive, la sœur dont elle avait toujours rêvé et qu'elle avait enfin trouvée. Et là, Étienne Armand a souri et elle a été heureuse qu'il l'accompagne dans la joie comme dans la souffrance.

Elle lui avait souvent parlé de Béatrice, la première femme d'Emerick. De son impression d'avoir une dette envers elle, de son désir d'en savoir davantage sur ce qu'elle avait vécu avec le tyran. Le cœur serré, elle lui a dévoilé la terrible confidence d'Édouard : sa certitude que son fils avait provoqué la mort de Béatrice en lui administrant une surdose de médicaments, comme il l'avait fait, deux années auparavant, pour sa mère, mais à la demande de celle-ci. Et tandis qu'elle parlait, Aude s'étonnait de ne plus éprouver de haine envers celui qui avait tenté de la détruire. Seulement de la pitié pour l'enfant solitaire et du dégoût pour l'homme qui ne trouvait de plaisir qu'en détruisant autour de lui.

Dehors, on aurait dit que la pluie s'apaisait, mission accomplie ? Pas une seule fois, au cours de son récit, Aude n'avait songé à regarder l'heure au réveil. Quand elle avait eu soif, elle avait tendu la main vers l'un des verres remplis. Elle avait parlé de sa vie sans rien en cacher, sans peur d'être jugée. Lorsqu'elle a eu terminé, le docteur Armand a posé la main sur son bras.

— Que de chemin parcouru, Aude. Comment vous sentez-vous ?

Les mots attendus. Elle a souri.

— Bien. Parvenue au bout du chemin.

Dis, t'en souviendras-tu ?

Il lui arrivait même, repensant aux mots d'Olivia – «Ton ravin, mon frangin est bien capable de s'y être balancé tout seul» –, de se dire que, finalement, ils avaient peut-être raison, tous ceux qui ne la croyaient pas, à commencer par Jean-Marie de Menthon et le père Pierson. Oui, elle l'avait poussé, et de toutes ses forces, mais l'avait-elle vu tomber ? Trop occupée à fuir.

— Des projets ?

— Rendez-vous jeudi à l'hôpital avec le docteur Prévost pour lui demander de pratiquer un test de paternité : simple confirmation. Et dimanche, grand raout à L'Héliotrope pour présenter l'heureux élu à ma belle-famille : le vrai conte de fées, quoi !

— Également à confirmer ?

Elle s'en souviendrait.

42

Pourquoi le centre hospitalier où Aude avait été transportée après son accident s'appelait-il « Le Petit Paris » ? Existait-il un lien avec la capitale ? Nul n'avait réussi à satisfaire sa curiosité, pas même son père qui, durant son enfance, avait toujours réponse à ses « pourquoi ? ». Quant à sa mère, lorsque Aude lui avait posé la question, elle avait levé les yeux au ciel : « Arrête de toujours chercher la petite bête, tu y as été bien soignée, c'est tout ce qui compte. » La petite bête qui grignote les certitudes et contrarie les idées toutes faites.

Arrivés en avance au rendez-vous avec le docteur Prévost, Aude et Rémi ont admiré la vue sur laquelle donnait le fier monument à colonnades. Là-bas, derrière les palmiers, ce bleu : la mer. À la fois maison de retraite, centre médico-psychologique, soins de longue durée, centre de natalité, on soignait tout, au « Petit Paris ». Il s'y trouvait même une association destinée aux femmes battues.

Ils ont fait quelques pas dans le jardin, ombragé par des platanes. Des personnes âgées y déambulaient, soutenues par leurs proches. Aude se souvenait de lentes promenades au bras d'une infirmière ou de Mathilde. Mathilde, mon Dieu, elle avait de nouveau oublié de lui donner des nouvelles ! Elle s'est promis de demander à Olivia de l'inviter dimanche au déjeuner de fête à L'Héliotrope.

Dans la salle d'attente pleine, elle a évoqué avec Rémi ce repas donné en leur honneur, où il ferait connaissance avec le « roi Édouard » et sa fille. Il s'en inquiétait un peu. Orphelin, élevé par des grands-parents paysans, il ne connaissait rien aux usages. Devrait-il mettre une cravate ? Apporter des fleurs à Olivia ? Aude l'a rassuré :

— Viens comme tu es. Ils savent que, sans toi, je ne serais probablement plus là et t'en seront éternellement reconnaissants.

En prenant rendez-vous, Aude n'avait pas indiqué qu'elle viendrait « accompagnée ». Et comme l'assistante leur ouvrait la porte du docteur Prévost, l'air surpris de celle-ci ne lui a pas échappé. Elle n'a pas hésité :

— Rémi, le père du bébé.

— Enchantée de faire enfin sa connaissance, a répondu avec humour la gynécologue. Et Aude a réprimé un rire. Depuis quelque temps, toutes les occasions lui étaient bonnes.

Ils ont pris place sur des sièges en face du bureau où était posé un épais dossier. Sur le bois dur de ce meuble, la tête d'Aude avait cogné en apprenant la probable impuissance de son mari et en se revoyant à genoux, suppliante, devant lui. « Quelle que soit votre décision, je serai là », lui avait promis le docteur Prévost. Il y a des paroles qu'on n'oublie pas.

— Voyons, a dit celle-ci en ouvrant le dossier. Voilà un peu plus d'un mois que nous nous sommes vues. Comment allez-vous ?

— Bien, a répondu Aude sans s'arrêter aux diverses péripéties vécues au cours des dernières semaines. Si vous êtes d'accord, nous voudrions, Rémi et moi, nous soumettre à un test de paternité. Non que nous doutions, mais...

— Il est toujours plus confortable d'avoir une certitude, a continué le médecin pour elle. Et si vous le souhaitez, je profiterai de votre présence pour pratiquer une échographie qui nous indiquera le sexe du bébé.

Aude a échangé un regard avec Rémi. Elle ne pensait pas le savoir si vite : un grand moment.

— Une préférence ? a demandé le docteur Prévost.

— Une fille aussi réussie que sa mère, a répondu Rémi.

— Un garçon qui ressemble à son père, lui a renvoyé Aude.

— Parfait, a approuvé la gynécologue avec un sourire.

— Et quand le sentirai-je bouger ? a-t-elle demandé avec appétit.

— Pour ça, il vous faudra attendre encore un peu. Vous verrez, c'est plutôt agréable : une sorte de remous, comme des petites bulles qui explosent.

Rémi a tendu la main vers le ventre d'Aude.

— Tu me feras sentir ? S'il te plaît !

— Au moins, voilà un père qui s'implique, a constaté le docteur Prévost en riant.

Ils sont passés dans la salle d'obstétrique et elle a commencé par le test. Un peu de salive prélevée dans la bouche du père à l'aide d'un Coton-Tige, une prise de sang faite à la mère.

— Nous devrions avoir les résultats, en passant par la Suisse, d'ici deux ou trois jours. Je vous appellerai dès qu'ils me parviendront. À temps pour la fête de dimanche ?

Dis, t'en souviendras-tu ?

Tandis qu'Aude se déshabillait dans la cabine, rideau tiré, elle se souvenait de la peur panique qui l'avait envahie à l'idée de s'étendre, pieds dans les étriers, sur la table d'examen. De l'impression de viol, quand les doigts gantés de la gynécologue l'avaient pénétrée. « C'est fini », a-t-elle murmuré. Il lui arrivait encore d'avoir besoin de se le répéter. En affirmant au docteur Armand être parvenue au bout du chemin, ne s'était-elle pas montrée présomptueuse ?

Les images en noir et blanc se succédaient sur l'écran tandis que la gynécologue promenait la sonde sur son ventre. Celle-ci s'est arrêtée sur ce qui ressemblait à un corps minuscule enroulé sur lui-même. Aude a retenu son souffle. Le verdict est tombé.

— Tout laisse à penser que vous attendez une fille, madame.

— Eh bien, il faudra s'occuper très vite du garçon, a décidé Rémi.

43

Il fait beau. Peut-être un peu trop chaud mais l'essentiel n'est-il pas que la pluie ait cessé ? La vaste tente de toile blanche a été dressée sur la pelouse la plus proche de la maison. Autour de la table, famille et belle-famille, auxquelles se sont ajoutés Mathilde et Rémi.

Édouard préside. À sa droite, Marie-Ange, à sa gauche Aude, près de Rémi bien sûr. En face de son père, Olivia, entourée d'Hervé et de Basile, Mathilde près de ce dernier. Pour l'occasion, Marie-Ange s'est offert une robe de mousseline bouton d'or, escarpins et sac assortis. Double rang de perles. C'est trop, c'est elle. À son côté, chemise blanche, cravate bleu nuit, blazer, Édouard est l'élégance même.

Le père d'Aude ainsi que Rémi ont finalement opté pour la cravate. Pas Basile, en polo orné d'un crocodile. Olivia arbore une ample chemise trappeur à carreaux. Après réflexion, Aude a revêtu sa robe-chemise qui n'a plus à mentir.

Lorsqu'à 12 h 30, le chauffeur a ouvert la portière de la Mercedes à sa mère, un heureux hasard a voulu qu'un groupe de Japonais passe par là, qui a bombardé la scène avec appareils photo et caméras. Il fallait voir Marie-Ange poser : bientôt célèbre jusqu'à Tokyo ?

Une femme dans la cinquantaine les attendait en bas des marches du perron de L'Héliotrope, robe noire, col blanc, coiffure stricte : Lucie, la nouvelle gouvernante, apprendraient-elles plus tard. Elle les a conduites au salon où se trouvaient leurs hôtes. « On s'embrasse ? », a lancé Olivia. Sitôt dit, sitôt fait. Le cœur d'Aude s'est un peu serré : que dirait Marthe si elle pouvait les voir, si joyeux ? Se sentirait-elle une fois de plus crucifiée en pensant à sa petite ? Rémi est arrivé sur le gros cube de Basile. Il a gratifié Olivia d'un impeccable baisemain qui a laissé celle-ci pantoise, tandis qu'Aude retenait un rire : connaît-on jamais tout à fait quelqu'un ? Basile s'est contenté d'un sonore « Salut à l'Australienne » en présentant à sa belle-sœur ses joues rasées de frais. Enfin, le conservateur du musée Fragonard est arrivé en fanfare dans son antique voiture asthmatique. Alors qu'il échangeait avec Édouard une solide poignée de main, Aude a senti une immédiate complicité entre pères. Un bonheur de plus.

Engagé pour l'occasion, un maître d'hôtel a servi l'apéritif : champagne pour tout le monde. Eh oui, Aude incluse. Elle ignorait qu'existaient d'excellents crus, venant des meilleurs cépages : sans alcool. Une bouteille a été débouchée pour elle. Certains se sont divertis à comparer en fermant les yeux. Pas si facile de faire la différence. Rémi a décidé de s'y tenir afin de garder la tête froide. N'est-il pas, en quelque sorte, le clou de la fête ?

Sous la tente, les conversations vont bon train autour d'une ballottine de foie gras, accompagnée de fines tranches de brioche toastées. Marie-Ange raconte à Édouard, en parlant un peu trop fort, son prochain voyage en Égypte. Le père d'Aude est en pleine discussion avec Mathilde. Olivia rit à gorge déployée à une plaisanterie de Basile. Aude ne s'est pas trompée en prévoyant qu'ils s'entendraient comme larrons en foire.

Une foire qu'elle regarde de haut, plus spectatrice qu'interprète. Elle a toujours eu du mal à entrer tout à fait dans la fête, elle s'est toujours sentie un peu à l'écart, de côté. Timidité ? Retenue ? Elle ne saurait dire. La main de Rémi serre brièvement la sienne sous la nappe. Il est comme elle. Ils sont deux.

À l'entrée de la tente, Evangelos surveille discrètement les agapes, s'assure que tout le monde se régale. Édouard se tourne vers Aude :

— Un grand jour pour lui, remarque-t-il.

« À ce que j'ai cru comprendre, votre retour ici le ravirait », avait fait remarquer son beau-père le jour de son arrivée. Et alors qu'elle s'était juré « plus jamais », voilà qu'elle hésite. Cette maison, n'est-ce pas les parents d'Édouard qui l'ont construite ? Il y a forcément vécu de bonnes et belles années. Il est normal qu'il y soit attaché. Y revenir serait pour Aude une façon de le remercier de sa générosité. Bien sûr, pas pour y demeurer à plein temps, mais pourquoi n'y passerait-elle pas week-ends et vacances ? Du bon air pour le bébé. Il faudra qu'elle y réfléchisse.

Un turban de colin sauce crevette a succédé au foie gras. Riz à la grecque aux mystérieux parfums, œuvre d'Evangelos. Tout le monde se régale. Au moins un repas de fête qu'elle ne gâchera pas.

En accord avec Rémi, elle a décidé d'attendre le café pour annoncer qu'elle donnera naissance à une fille. Un appel du docteur Prévost le lui a appris la veille, en même temps que le résultat, positif, du test de paternité. Réfléchissant à un prénom, une très mauvaise idée lui est d'abord venue : « Béatrice ». Et si un jour la petite lui demandait la raison de son choix ? Donne-t-on à une innocente un nom plein de silence et de larmes ? Une excellente idée a suivi, tout de suite approuvée par Rémi : Olivia. Si joli et peu utilisé. Et puis ça obligera la tante à traverser les océans pour venir rendre visite à sa nièce. La marraine ? Mathilde, Aude lui doit bien ça. Le parrain ? Basile : il l'a amplement mérité.

— À quoi rêvent les jeunes mamans ? lance Olivia, toujours sur la bonne longueur d'onde. Et toutes les têtes se tournent vers elle qui se sent rougir.

— À ma chance d'être ici aujourd'hui avec tous ceux que j'aime.

Au dessert, une mousse glacée aux fruits, et du champagne qui a été de nouveau servi. Édouard a demandé le silence en frappant sur sa coupe. Il a sorti un écrin de sa poche et l'a posé devant elle. Il contenait un collier fait d'éclats de pierres d'un blanc translucide légèrement teinté de jaune : ambre, pierre d'amour.

Alors que son beau-père se levait pour l'attacher à son cou, il lui a semblé sentir, dans son ventre, comme un léger remous : « Bonjour, ma fille. » Tout le monde a applaudi. Les larmes sont montées à ses yeux. Et si elle se permettait enfin d'être heureuse ?

QUATRIÈME PARTIE

Ambre, pierre d'amour

44

Quand, ce matin du 27 juillet, à 11 heures, l'adjudant Serge Fortin, de la gendarmerie mobile de Grasse, a vu entrer dans son bureau un militaire de la brigade de Gourdon, accompagné par un civil d'une quarantaine d'années, vêtu d'une parka, pantalon ciré, hautes bottes de pêcheur, quelque chose lui a dit que son départ en congé le surlendemain risquait d'être compromis.

Il ne se trompait pas.

— Monsieur Charvet, ici présent, a fait ce matin à 7 heures une macabre découverte alors qu'il pêchait dans le Loup, a rapporté le brigadier André Clément après s'être présenté. Il se trouvait à environ un kilomètre du village lorsque son hameçon a accroché un bout de tissu. Y regardant de plus près, il a cru distinguer un corps et a aussitôt composé le 18. Après lui avoir recommandé de ne toucher à rien, les pompiers nous ont contactés.

La rivière du Loup était réputée pour ses brochets et surtout pour la fameuse truite « fario », un poisson d'une dimension exceptionnelle, certains dépassant le mètre et atteignant le poids record d'un kilo. Pour les connaisseurs, la pêche à la cuillère était encore pratiquée dans le coin, même s'il existait des techniques plus modernes. C'est ce qu'a expliqué le pêcheur en poussant force soupirs. La découverte n'avait pas dû être agréable : drôle de poisson !

— Arrivés sur les lieux, nous avons constaté qu'il s'agissait effectivement d'un corps, a poursuivi le brigadier. Ou du moins de ce qu'il en restait. Parmi les quelques objets trouvés autour de lui, une carte bancaire nous a permis de l'identifier.

Il s'est brièvement interrompu comme pour faire durer le suspense.

— Il s'agirait de monsieur Emerick Saint Georges, dont la disparition nous a été signalée le 10 avril dernier à La Croix Notre-Dame.

Emerick Saint Georges ? Fortin a accusé le coup : ce pauvre Édouard ! Bien sûr, la piste d'une chute dans la rivière avait été retenue en premier et celle-ci sondée, ses bords soigneusement ratissés sur plusieurs kilomètres, sans résultat. La dernière fois que Fortin avait vu son ami, celui-ci lui avait confié : « Vois-tu, le plus dur est de rester dans l'incertitude. » Serait-il toujours de cet avis lorsqu'il apprendrait où son fils avait été retrouvé, et dans quel état ?

— Où est le corps actuellement ? a-t-il demandé au brigadier.

— À la morgue du centre hospitalier de Gourdon où l'autopsie devrait être pratiquée. Les divers éléments découverts à proximité sont à votre disposition à l'accueil.

— Merci.

Fortin s'est tourné vers le pêcheur. L'expérience lui avait appris à situer très vite ses interlocuteurs. Dans le cas présent, un touriste dont le teint blafard, accentué par l'angoisse, attestait qu'il commençait seulement ses vacances. Et, là non plus, il ne se trompait pas.

— En composant tout de suite le 18, vous avez eu le bon réflexe, l'a-t-il félicité. Je vous demanderai de rester quelques jours dans les parages en tant que témoin et de nous avertir de vos déplacements.

— À la vérité, je ne suis arrivé qu'hier au camping de Gourdon. Ce matin, c'était ma première partie de pêche. Ma petite fille insistait pour m'accompagner, sa mère a refusé : la fatigue du voyage. Je m'en félicite, a-t-il ajouté, à 8 ans, on se croit éternel. Imaginez le choc !

Il était 12 h 30 lorsque, après avoir signé l'abondante et obligatoire paperasse, les deux hommes sont repartis. Fortin a commencé par boire un grand verre d'eau. L'idée d'appeler Édouard Saint Georges pour lui annoncer la nouvelle ne le réjouissait guère. Depuis combien de temps étaient-ils amis ? Une bonne trentaine d'années. Édouard lançait son entreprise quand Fortin avait rejoint la gendarmerie mobile de Grasse. La sympathie avait été immédiate et, d'une certaine façon, ils n'avaient jamais cessé de s'accompagner. Édouard avait assisté à son mariage, et il était le parrain de son fils aîné, du même prénom. Fortin l'avait soutenu lorsque son épouse était partie après des années de dépression.

Il n'ignorait rien des difficultés de son ami avec son fils, un garçon instable au caractère difficile. Selon son père, un génie en ce qui touchait les parfums, l'un allant souvent de pair avec l'autre. Plus tard, le départ d'Édouard pour l'Australie, après avoir confié les rênes de l'entreprise à son fils marié, l'avait attristé, mais ils n'avaient pas pour autant perdu contact.

Dis, t'en souviendras-tu ?

Quand la jeune Béatrice de Menthon, épouse d'Emerick, était morte, il l'avait tenu au courant de ce qui se disait dans la presse, la mère de celle-ci, égarée par la douleur, accusant son gendre d'avoir provoqué cette mort en l'enfermant à L'Héliotrope. Et Fortin avait regretté qu'Édouard ne revienne pas mettre bon ordre dans la maison.

Et voilà qu'un drame de plus s'était noué avec la disparition de son fils et l'hospitalisation d'Aude, sa seconde femme, décidant cette fois Édouard à revenir.

Bien, assez tardé ! Fortin a formé le numéro qu'il connaissait par cœur. Sur répondeur. Lâchement, il en a été soulagé : annoncer ce genre de nouvelle par téléphone... Il a laissé un message demandant à son ami de passer dès que possible à la gendarmerie.

Et maintenant, Aude Saint Georges. Édouard lui en avait parlé avec beaucoup d'affection. Lorsque Fortin l'avait reçue, dans ce même bureau, fin avril dernier, elle sortait de l'hôpital et recouvrait peu à peu la mémoire. Il se souvenait d'une jeune femme fragile qui ne lui avait pas été d'une grande aide en ce qui concernait les circonstances de la disparition de son mari. Peut-être, aujourd'hui, serait-elle en mesure de l'aider davantage ?

45

Le portable d'Aude sonnait quelque part, un son très faible, étouffé. Elle a fini par le trouver sous un tas de vêtements, pile au moment où la sonnerie s'arrêtait, zut ! Il faut dire que le studio de Rémi était en plein chambardement.

La veille, ils avaient pris une décision d'importance : remplacer son dur lit de célibataire par un confortable canapé-lit deux places. Ils étaient allés le chercher dans une grande surface, aux abords de la ville, et s'étaient beaucoup amusés, chacun le testant tour à tour, puis ensemble, au grand dam du vendeur et à l'hilarité des clients. Ils avaient aussi choisi couette, draps et oreillers, en se chamaillant sur la couleur et les motifs pour faire durer le plaisir. Et même si Aude était riche, Rémi avait tenu à lui offrir le tout. Entretenu, lui ? Jamais.

La livraison avait été fixée à jeudi après-midi et ce matin, avant de partir pour un tournage qui le prendrait toute la journée, Rémi avait sorti le lit sacrifié sur le palier afin de permettre à Aude de préparer le terrain et trouver le meilleur emplacement pour son successeur. Non sans un pincement au cœur : le témoin de leurs amours cachées.

Depuis le déjeuner du dimanche à L'Héliotrope, Aude planait. Apprenant que le bébé porterait son nom, Olivia avait versé une larme, c'est dire ! Parrain et marraine s'étaient déclarés comblés. Même Marie-Ange affichait un plaisir sans nuage. Quoi qu'en pense le docteur Armand, le conte de fées se poursuivait. « À confirmer », avait-il dit. Elle a regardé, sur la commode, le collier d'ambre offert par son beau-père : la plus magique des confirmations.

Ambre : pierre d'amour. Édouard avait-il utilisé les éclats contenus dans le coffret de la chambre d'Isabelle ? Heureusement qu'Aude en avait retiré l'enveloppe, la carte-confession : « Ce soir, j'ai annoncé à mon mari mon intention de le quitter... » Un de ces jours, il faudrait qu'elle se décide à la jeter : l'ombre du passé. Le titre d'un film sur le regret, avec Judy Garland, qu'elle connaissait par cœur.

Son portable a émis une brève sonnerie, l'image d'un téléphone s'est affichée, suivie d'un point d'interrogation. Si c'était Rémi, son nom se serait inscrit. Il l'appelait plusieurs fois par jour pour s'assurer, disait-il, qu'il ne rêvait pas. Elle a cliqué sur le numéro inconnu afin de rappeler. On a décroché aussitôt.

— Madame Aude Saint Georges ?

La voix lui rappelait vaguement quelque chose.

— C'est moi.

— Ici l'adjudant Fortin, de la gendarmerie mobile de Grasse. Nous nous sommes rencontrés en avril dernier, vous vous en souvenez ?

Sous le choc, elle a fermé les yeux. Le sang battait violemment à ses tempes.

— Bien sûr, a-t-elle murmuré.

— Vous serait-il possible de passer à la gendarmerie ? Le plus tôt serait le mieux.

— On a retrouvé mon mari ?

Le cri lui avait échappé. L'adjudant a mis quelques secondes pour répondre.

— Si vous voulez bien, nous en parlerons de vive voix. À quelle heure pensez-vous pouvoir être là ?

Elle a regardé sa montre : 12 h 40.

— Je suis à Nice. Dans une petite heure, ça va ?

— Très bien, je vous attends.

Clac. Il avait déjà raccroché : pour éviter d'autres questions ?

Aude est restée un moment immobile, tentant de se calmer. On avait donc retrouvé Emerick, le gendarme n'avait pas nié. Comment se faisait-il qu'elle soit à peine étonnée ? Comme si elle avait attendu cet appel, qu'il devait venir obligatoirement ?

Dans la rue où flottaient des odeurs de nourriture, une femme a appelé : « Ninon, Ninon, à table. » L'heure du déjeuner, juillet, les vacances, les plages bondées, les baraques à frites, le bruit des vagues. Voilà qu'elle regardait tout ça comme de loin : un monde qui lui serait désormais interdit.

Sa main est revenue vers son portable : appeler Rémi. Elle est retombée. Il lui demanderait de l'attendre, il voudrait à tout prix l'accompagner à la gendarmerie. Basile *idem*. Son père aussi. Non ! Elle seule était en cause, elle n'avait pas le droit de les mêler à ça.

Elle s'est levée et elle est passée dans le cabinet de toilette. Le miroir lui a renvoyé l'image d'une femme aux yeux cernés par l'amour. Tant de jours à rattraper, ils ne s'en lassaient pas. Et, peu à peu, nuit après nuit, le corps d'Aude se réveillait, répondait à celui de son amant, son amour.

L'eau tiède de la douche coulait sur ses épaules, son ventre. Le bébé a bougé. « Au moins, pour toi, la situation sera éclaircie », a-t-elle pensé. Emerick retrouvé, le mot « absent » disparaîtrait du dossier. Sa fille pourrait porter le nom de son père : Fabri. Olivia Fabri Saint Georges. Ça en jetait.

Elle a enfilé un jean, un ample tee-shirt, des baskets. Vérifié que, dans son sac, se trouvait bien sa carte d'identité et suffisamment d'argent liquide pour payer le taxi. Certains refusaient la carte bancaire, même si la loi les obligeait à la prendre.

Sur une feuille du bloc « Courses », elle a écrit : « Je suis à la gendarmerie. Je t'aime », et elle l'a posée sur un oreiller. Si elle rentrait avant Rémi, elle la déchirerait. Ouvrant la porte du studio, elle s'est retrouvée nez à nez avec le lit, dressé contre le mur. Elle s'est seulement souvenue de la livraison. « À partir, de 15 heures », lui avait-on promis. Serait-elle là ? Certainement pas.

Les larmes sont montées à ses yeux. Cela avait été si bon, le bonheur.

46

Il y a des personnes qui, d'emblée, vous donnent envie de les protéger. Ce qui ne signifie pas pour autant qu'il ne faille pas s'en méfier. Il arrive que le mal prenne les traits de l'innocence.

Fortin a tout de suite reconnu la jeune femme fragile, au regard troublé, qu'un sous-officier introduisait dans son bureau. Vêtue le plus simplement du monde en dépit du grand nom qu'elle portait, à peine maquillée, aucun bijou.

Lorsqu'au téléphone elle lui avait lancé comme une certitude : « On a retrouvé mon mari ? », il avait été troublé. Mais, à la réflexion, quoi de plus naturel ? Pour quelle autre raison l'aurait-il appelée et demandé à voir dès que possible ?

En l'attendant, il avait avalé un sandwich et fait le tri parmi les objets, dans le sac laissé par le brigadier Clément : un brave garçon. Bribes de vêtements, une chaussure, un canif, un bouton, les restes d'un portefeuille et, bien sûr, la carte bancaire qui avait permis d'identifier la victime.

Il s'est levé pour serrer la main de la jeune femme et l'a invitée à s'asseoir sur le siège en face de lui. Il lui a semblé distinguer des traces de larmes sur ses joues : quel choc pour la pauvrette !

— Tout à l'heure, vous m'avez demandé si nous avions retrouvé votre mari, a-t-il commencé d'une voix aussi douce que possible. Tel est bien le cas. Je me trompe ou vous vous y attendiez ?

— C'est quand vous m'avez demandé de venir que ça m'est apparu : une évidence, a-t-elle répondu. Et, plus bas : dans la rivière, n'est-ce pas ?

— Oui. Sous un rocher.

— Mon Dieu, tout ce temps ! a-t-elle soupiré.

— Plus de trois mois. Et si un pêcheur n'avait pas accroché un bout de tissu avec son hameçon, peut-être ne l'aurait-on jamais retrouvé.

Aude Saint Georges a acquiescé. Sa main est venue s'appuyer sur son ventre et, un instant, Fortin s'est interrogé.

— Mon beau-père est-il au courant ? a-t-elle demandé.

— Pas encore. J'ai essayé de le joindre mais il était sur répondeur. Je lui ai laissé un message lui demandant de venir. Aucune nouvelle depuis.

Édouard devait être à l'un de ses déjeuners d'affaires : un homme de la vieille école qui éteignait son portable durant les repas.

— Il m'a appris que vous n'habitiez plus à L'Héliotrope, a-t-il remarqué.

— Je n'y suis pas retournée après l'accident. J'ai préféré rester chez ma mère, a répondu la jeune femme.

— Je comprends.

Lorsque, au soir de l'accident, Fortin s'était rendu là-bas pour les besoins de l'enquête, la froideur des lieux l'avait frappé. Il avait interrogé les domestiques – cuisinier et gouvernante –, mais ceux-ci ne lui avaient pas appris grand-chose, sinon que leurs patrons étaient partis le matin sans dire où ils se rendaient ni s'ils seraient rentrés pour le déjeuner. Autant le dénommé Evangelos s'était montré coopératif, autant la gouvernante était restée sur la défensive.

— Où est-il, maintenant ? a demandé Aude Saint Georges à mi-voix.

— À la morgue du centre hospitalier de Gourdon. Vous devrez très probablement y passer pour reconnaître le corps mais ne vous en faites pas, je vous y accompagnerai. Très probablement votre beau-père aussi.

— Oh, merci ! a-t-elle dit.

Le mélange de dignité, de courage et de chagrin dont faisait preuve la jeune femme l'émouvait. Pas question de la garder plus longtemps que nécessaire. Il a sorti du sac les sachets en plastique numérotés et les a disposés devant elle :

— Reconnaissez-vous ces objets ?

Elle s'est penchée et elle les a regardés consciencieusement un à un. À cet instant, sans bien savoir pourquoi, Fortin a souhaité de tout son cœur qu'Édouard pousse la porte.

Aude Saint Georges a relevé la tête et l'a regardé droit dans les yeux.

— Oui, je les reconnais.

Et, désignant le bouton :

— C'est celui du tailleur que je portais ce matin-là, je suppose que vous l'avez gardé et pourrez vérifier. J'ai dû le perdre alors que je me battais avec mon mari. Je lui avais annoncé mon intention de divorcer. Il tentait de m'étrangler, alors je l'ai poussé dans le ravin.

47

Oh, non, pas elle ! Pas la petite à laquelle, dès le premier regard, il avait accordé sa confiance. Grâce à laquelle il espérait parvenir à se pardonner les erreurs du passé, réparer un peu : Aude. Aude, en garde à vue ?

Lorsqu'Olivia avait parlé à Édouard de l'aveu qu'elle lui avait fait d'avoir balancé Emerick dans le ravin, il n'y avait pas cru une seconde : un poids plume, dépourvu de la moindre agressivité, la douceur même. Et voilà que Fortin lui annonçait, la bouche en cœur – enfin, pas tout à fait –, qu'elle venait de se dénoncer, détails à l'appui. Détails sordides, odieux.

— Bois un peu, je t'en prie.

Il a vidé d'un trait le verre d'eau que son ami lui tendait.

— Mais pourquoi se dénoncer alors que tu ne lui demandais rien ? Que tu t'apprêtais même à la faire raccompagner chez elle ?

Fortin a soupiré.

— J'ai été le premier surpris. Pour soulager sa conscience, je crois. D'ailleurs, après, elle semblait mieux.

— Et la conscience d'Emerick, parlons-en ! a tonné Édouard.

Dis, t'en souviendras-tu ?

Son ami s'est tu, choqué ? Eh bien non, il n'avait éprouvé aucune peine en apprenant que le corps de son fils avait été retrouvé. Peut-être même du soulagement. Emerick n'avait-il pas tout détruit autour de lui ? À commencer par sa mère, l'infortunée Isabelle. Et voilà que, par-delà la mort, il poursuivait son œuvre.

— Au moins t'a-t-elle dit qu'elle était enceinte ?

— Non. Mais je t'avouerai que je me suis posé la question. Sa façon de s'habiller, sa main sur son ventre... Si tu ne m'avais dit que ton fils...

— Était impuissant, oui. Du moins, Olivia l'affirme. Et sache que l'enfant n'est pas de lui mais d'un brave garçon dont j'ai fait la connaissance dimanche.

Édouard a revu Aude serrant la main de son Rémi en annonçant qu'elle attendait une fille. Son émotion, ses larmes de joie. Bon sang, pourquoi lui faisait-elle ce coup-là ?

— Et maintenant, elle est où ?

— Dans une cellule. Traitée le mieux possible, a répondu le pauvre Fortin presque aussi malheureux que lui.

— La suite du programme ?

— Quatre jours de garde à vue, ce qui, avec dimanche, nous mène jusqu'à mardi. Date à laquelle le juge d'instruction décidera de la placer ou non en détention. Elle est autorisée à passer un appel. C'est toi qu'elle a choisi.

Lui ? Plutôt que Rémi ? Ou son frère, son père ? Si elle croyait lui faire un cadeau, c'était raté. Elle ne faisait que dévaster un peu plus son cœur.

— Tu dois également savoir qu'elle a droit à un avocat tout de suite, a poursuivi Fortin. Je te fais confiance pour trouver le meilleur. Je suppose qu'il plaidera la légitime défense. Olivia et toi ne devriez pas manquer de munitions.

Édouard a acquiescé : et même de sacrées munitions. Il a hésité à parler à son ami de ses doutes, ou plutôt sa certitude, concernant le décès de sa femme et celui de Béatrice de Menthon. Non. L'avocat d'abord.

Il a désigné le téléphone.

— Qu'est-ce que tu attends pour me la passer ?

Durant combien d'années, Marcel, chauffeur de son état, avait-il été au service de la famille Saint Georges ? Il avait 25 ans quand monsieur Édouard l'avait engagé, il en avait 52 aujourd'hui, faites le calcul.

Bien sûr, c'était du patron qu'il s'occupait en priorité, toutefois, à ses débuts, lorsque madame Isabelle était encore de ce monde, il la conduisait souvent à Gourdon où vivaient ses parents. Une femme très douce, très aimable, mais constamment la larme à l'œil. Tout le contraire de son mari, lui dynamique, entreprenant, et qui n'hésitait pas à lui raconter ses journées. Quand il ne lui lâchait pas, tout guilleret, en montant le matin dans la Mercedes : « Allez zou, mon petit Marcel, en route pour Rome ! » À moins que ce ne soit pour Genève ou pour Monaco où il avait des clients. Oui, on pouvait dire qu'ils en avaient vu, des paysages, ensemble.

C'est pourquoi, quand Marcel avait appris que le patron allait rejoindre sa fille en Australie, s'installer là-bas, il en avait été très affecté. « Tu n'as qu'à partir avec lui », avait plaisanté sa femme. Sans se douter que, s'il le lui avait demandé, il n'aurait sans doute pas dit non.

Dis, t'en souviendras-tu ?

Monsieur Emerick préférant conduire lui-même sa voiture, c'est pour monsieur Chevalier, le directeur adjoint, que Marcel avait travaillé. Un homme qui n'ouvrait pas la bouche et étudiait ses dossiers durant les trajets, c'est dire l'ennui. C'est dire aussi son bonheur lorsque, après quatre ans d'absence – excusez du peu –, monsieur Édouard était revenu et avait fait appel à lui.

Voilà presque une quinzaine qu'il est là et, même si c'est à cause de la disparition de son fils qu'il est revenu, l'humeur semble au beau fixe.

Ce jeudi, à 12 h 30, après l'avoir pris à l'entreprise, Marcel l'a conduit au restaurant Lou Fassum où l'attendait un client. Il aime bien l'endroit où il y a toujours un coin de table pour lui à la cuisine, les repas d'affaires ayant tendance à s'éterniser.

Quand il l'a repris, deux heures plus tard, le patron avait l'air préoccupé. Il a demandé à Marcel de le laisser à la gendarmerie où nul n'ignore que l'adjudant-chef est de ses amis. Ami ou non, lorsqu'il en est ressorti, à 16 heures, son visage était tel que Marcel a pressenti une catastrophe. Et, à peine dans la voiture, il appelait le cabinet de maître Wangler, son avocat, à Menton, et insistait pour avoir un rendez-vous le soir même, prononçant à plusieurs reprises le mot « urgentissime ».

— Des ennuis, monsieur ? s'est-il permis de demander, la communication terminée.

— Des gros, mon petit Marcel, des très gros. Figure-toi que le corps de mon fils a été retrouvé et que ma belle-fille est en garde à vue. Ceci reste entre nous, bien sûr.

225

Dis, t'en souviendras-tu ?

En garde à vue, la jolie jeune femme qu'il avait conduite le dimanche précédent, avec madame sa mère, à L'Héliotrope ? Une telle abomination était-elle possible ?

Et, lorsqu'arrivés à destination, ouvrant la portière de son patron, il l'a vu essuyer une larme, c'est son cœur à lui qui s'est brisé en mille morceaux.

48

Olivia n'était ni dans le jardin, ni au salon, ni dans sa chambre et durant un instant, Édouard a craint qu'elle ne soit sortie. Il l'a finalement trouvée à la cuisine, écossant des petits pois avec Evangelos. La cuisine, son lieu préféré quand elle était petite. Là où elle faisait ses devoirs et apprenait ses leçons, en partageant avec le Grec ses joies et ses chagrins de fillette.

— Un café serré, s'il te plaît, a demandé Édouard au cuisinier avant de s'asseoir près de sa fille.

En plus des petits pois, carottes et pommes de terre coupées en dés dans une passoire indiquaient qu'une macédoine de légumes était en route pour le dîner.

— Des soucis au bureau ? s'est inquiétée Olivia face au silence de son père.

Il n'y est pas allé par quatre chemins :

— Je reviens de la gendarmerie : le corps d'Emerick a été retrouvé ce matin dans le Loup par un pêcheur. Aude s'est accusée de l'y avoir poussé. Elle est en garde à vue.

— COMMENT ?

Sa fille a jailli de sa chaise.

— Et tu as laissé Fortin te faire ça ? Je croyais que c'était un ami ?

227

— Ami ou non, je ne peux pas l'empêcher de faire son boulot. Et Aude lui a fourni suffisamment de détails pour qu'il n'ait pas le choix.

Olivia s'est mise à arpenter fiévreusement la pièce. D'anciens bruits de vaisselle brisée sont montés aux oreilles d'Édouard. Il s'est tourné vers Evangelos, calme. Trop calme ? Savait-il quelque chose qu'ils ignoraient ?

— Bon, maintenant, papa, tu m'expliques tout ! a ordonné Olivia d'une voix radoucie en reprenant place près de lui.

— J'ai pu parler à Aude au téléphone.

Fortin avait eu la délicatesse de quitter le bureau après la lui avoir passée. Édouard a raconté ce qu'elle lui avait dit. À la vérité, pratiquement rien de plus qu'ils ne savaient déjà. La bagarre avec Emerick quand elle lui avait annoncé son intention de le quitter, La Croix Notre-Dame, le pantalon baissé, la lutte et elle le poussant pour sauver sa vie.

— Elle m'a supplié de la croire. Elle m'a chargé de t'embrasser.

Des larmes ont jailli des yeux d'Olivia qui s'est détournée pour les cacher. La dernière fois qu'Édouard l'avait vue pleurer, c'était à la mort de sa mère : une mort qui la privait à jamais de s'expliquer avec elle, lui pardonner son indifférence, se pardonner de n'avoir pas su s'en faire aimer.

— Elle était comment ? a-t-elle murmuré.

— Calme, comme soulagée.

— Ben voyons ! Et nous, maintenant, on fait quoi ?

— J'ai rendez-vous ce soir avec Wangler à Menton. Légitime défense...

Édouard s'est levé.

— Et cette fois, compte sur moi pour lui déballer tout le paquet : Isabelle, puis Béatrice... L'usage immodéré qu'Emerick faisait des psychotropes et autres poisons : pour elles comme pour lui-même à l'occasion. Je ne doute pas que le docteur Madelin, qui soignait ta mère, acceptera de témoigner si je le lui demande. Et tant pis si la ville en fait des gorges chaudes.

Evangelos a levé la main.

— Monsieur, est-ce que je peux me permettre ?

— Bien sûr, vas-y.

— Marthe aurait certainement beaucoup de choses à dire sur madame Béatrice. Si monsieur se souvient, elle était entrée ici avec elle et lui était très attachée. Et elle non plus n'aimait pas trop ce pauvre monsieur Emerick, a-t-il ajouté plus bas.

Olivia a foudroyé le Grec du regard. D'un geste autoritaire, son père lui a ordonné de laisser tomber. « Ce pauvre monsieur Emerick », sans doute le seul hommage funéraire qui lui serait rendu.

— Et ta Marthe, tu sais où elle habite ? a-t-il demandé au cuisinier.

— À Mougins, chez ses anciens patrons, monsieur et madame de Menthon.

— Alors appelle-la et dis-lui qu'on voudrait lui parler.

— Ce sera fait, monsieur.

Édouard est revenu à sa fille :

— Apparemment, Aude n'a averti personne de ce qui lui arrivait. Elle souhaite que tu t'en occupes. Si j'ai bien compris, Rémi et Basile sont sur un même tournage : tu commences par Basile, moins fragile. Il faudra également avertir les parents.

— Les autres, les autres, elle ne pense qu'aux autres, a râlé Olivia. OK, papa, je m'en charge.

Dis, t'en souviendras-tu ?

Édouard a désigné à Evangelos les légumes sur la table.

— Et avec la macédoine, tu as prévu quoi ?

— Un mignon de veau, monsieur.

— Eh bien, dis à ton mignon que nous dînerons tard ce soir.

49

À plusieurs reprises durant la journée, Rémi avait tenté de joindre Aude, en vain : toujours sur répondeur. D'abord, il ne s'était pas inquiété : trop occupée pour répondre avec la livraison du canapé-lit et la transformation du studio. À moins qu'elle n'ait voulu échapper à l'un des interminables appels de sa mère, la redoutable Marie-Ange qui portait si mal son prénom. Marie-Ange qui avait toujours considéré Rémi avec dédain, voire hostilité depuis que sa fille avait décidé de s'installer chez lui, Aude : l'amour de sa vie.

Les quelques brèves aventures qu'il avait eues n'avaient fait que le conforter dans cette certitude : elle et nulle autre. Même si Basile tentait de refréner ses ardeurs... tout en admettant que l'avoir pour beau-frère ne lui déplairait pas.

Plaire... déplaire... Était-ce parce que Rémi avait perdu ses parents tout jeune – un accident de voiture –, avant qu'ils aient pu porter sur lui ce regard de confiance qui vous aide à grandir, qu'il avait longtemps douté de lui ?

Certes, la grand-mère qui l'avait élevé s'était montrée admirable mais son regard était avant tout protecteur : « Prends garde, attention, pas trop vite, pas si loin. » Et, s'il n'avait croisé le chemin de

Basile, Rémi sans doute n'aurait jamais réalisé son rêve : être un jour photographe comme son père. Récoltant en prime avec Aude une petite sœur qu'il avait appris, au cours des années, à aimer.

À 18 h 30, tournage achevé : une émission sur les seniors « battants » qui, à 80 ans, se mettaient à Internet quand ils ne passaient pas leur bac ou n'accomplissaient pas des exploits sportifs. Rémi, franchement inquiet après une nouvelle tentative sans réponse, s'apprêtait à parler à Basile et à lui demander de le raccompagner chez lui d'un coup de moto quand celui-ci l'a rejoint.

— Olivia vient de m'appeler. Figure-toi qu'on a retrouvé le corps d'Emerick dans le Loup, lui a-t-il annoncé d'une voix trop légère.

— Oh, mon Dieu, voilà pourquoi je ne parvenais pas à joindre Aude ! Sais-tu où elle est ?

Et comme Basile hésitait :

— Mais vas-y, bon sang ! Qu'est-ce que tu attends ?

— Elle est en garde à vue à la gendarmerie. Elle s'est accusée d'avoir poussé son mari dans le ravin.

Aude en garde à vue ? Prisonnière ? Une tempête s'est levée en Rémi, la volonté farouche de la protéger envers et contre tout, comme lorsque, terrorisée par Emerick, elle venait se réfugier chez lui. Contrairement à Basile, il l'avait crue lorsqu'elle lui avait avoué son geste : Aude, incapable de mentir. Et qu'elle se soit dénoncée ne l'étonnait pas : sa courageuse !

— Le militaire en charge de son cas est un ami d'Édouard. Il lui a promis qu'elle serait bien traitée, a repris Basile. Par ailleurs, Édouard a déjà contacté un avocat. Quant à nous, mon vieux, à partir de cette minute, on lâche tout pour s'occuper d'elle.

Le cœur de Rémi s'est serré un peu plus : tout lâcher d'un travail qui avait toujours été la priorité de Basile reflétait bien la gravité de la situation.

— D'accord. On commence par quoi ?

— Olivia m'a chargé d'avertir mes parents. Je leur ai donné rendez-vous rue Kalin. On y va ?

— On passe d'abord chez moi. J'ai quelque chose à y prendre.

Un lit sur le palier, là où Rémi l'avait laissé ce matin. Un avis de passage scotché sur la porte par un livreur mécontent d'avoir fait chou blanc, le studio sens dessus dessous. Sur l'un des oreillers neufs, encore dans son plastique, quelques mots sur une feuille de papier : « Je suis à la gendarmerie. Je t'aime. » Et un petit garçon à qui un gendarme avait appris, en le prenant contre lui, que son papa et sa maman ne reviendraient plus jamais, a fondu en larmes : on se croit grand ! Basile l'a brièvement étreint. Rémi s'est dégagé et il est allé vers la commode sur laquelle scintillait un collier d'ambre. Il a ouvert le tiroir du bas et il en a tiré une grosse enveloppe de papier kraft. Elle contenait des photos et des documents qu'Aude préférait soustraire à la curiosité de sa mère, la plupart concernant Béatrice de Menthon. Parmi ceux-ci, il a trouvé ce qu'il cherchait : une carte dans une enveloppe portant un message qu'il connaissait par cœur, et surtout les derniers mots : « Si vous trouvez ce message et que je ne suis plus là, c'est que j'aurai subi le sort de Béatrice ». Il l'a mise dans sa poche : elle devrait intéresser l'avocat.

Il était près de 20 heures lorsque les deux jeunes hommes sont arrivés rue Kalin où Marie-Ange et

Hervé les attendaient, forcément inquiets. Ils ignoraient tout des circonstances exactes de la disparition d'Emerick, le fameux 10 avril dernier, Aude ayant préféré se taire pour les épargner. Comment réagiraient-ils en découvrant la vérité ?

Après leur avoir appris la découverte du corps de leur gendre dans la rivière, Basile leur a tout dit : la fureur d'Emerick apprenant qu'Aude avait décidé de le quitter, La Croix Notre-Dame, sa vaine tentative de fellation, la violence qui s'était ensuivie et le geste désespéré d'Aude pour sauver sa vie.

— Elle a tout raconté à la gendarmerie. Elle est en garde à vue.

Pas une seule fois, au cours de son récit, les parents de Basile ne l'avaient interrompu : un exploit pour Marie-Ange dont le visage s'était peu à peu empourpré. Basile s'est efforcé de terminer par du positif : l'avocat déjà engagé, l'évidente légitime défense, la conviction d'Édouard qu'Aude serait très rapidement libérée. Hervé a observé un bref silence. Sur son visage, la peine mais aussi la détermination.

— Pourras-tu dire à Édouard que je voudrais le rencontrer très vite ? Si possible dès demain, afin de joindre mes efforts aux siens ? a-t-il demandé à son fils.

— Ce sera fait.

Marie-Ange s'est levée.

— Moi, c'est à l'avocat que je veux parler. Et je lui dirai que le taré n'a eu que ce qu'il méritait.

Puis elle s'est tournée vers Rémi :

— Quant à vous, mon petit, apparemment j'ai eu tout faux vous concernant. J'espère que vous voudrez bien me le pardonner.

50

Cette nuit, le vent avait soufflé fort sur les toits de Mougins, faisant battre un volet mal fermé, perturbant le sommeil, déjà fragile, de Marthe. Ce qui ne l'avait pas empêchée de servir, à 7 h 30, le petit déjeuner d'Irène de Menthon dans sa chambre : jus de pomme, céréales, thé vert. Vendredi : jour consacré à son association d'aide aux femmes victimes, jour sacré.

Jean-Marie, lui, était descendu à 8 heures : café sans sucre et une tranche de pain bis beurrée, sur un coin de la table du jardin, avant de rejoindre son cabinet d'expert en assurances. On dit que l'on est ce que l'on mange : un homme de sacrifice, un père qui n'aurait pas assez de sa vie pour se pardonner d'avoir empêché sa femme de soustraire de force leur fille aux griffes de son bourreau. Par peur du qu'en-dira-t-on...

Marthe a essuyé une larme. Elle l'a regardé la balançoire de bois usé, oscillant entre deux arbres. Elle a entendu les cris joyeux de Béatrice : « Plus fort, Marthe, plus haut ! » Elle l'a revue, nichée dans ses bras, son enfant, sa fille, à elle qui s'était juré de ne jamais en avoir, pour cause d'innocence massacrée.

9 heures ont sonné au clocher de l'église Saint-Jacques-le-Majeur. Allons, assez traîné, au boulot ! Vendredi, jour de lessive de blanc, comme chez sa mère et, avant elle, sa grand-mère, sinon que cette dernière, c'était à genoux sur la pierre du lavoir, avec brosse et savon noir.

Elle a repris la tasse du patron sur la table, l'a placée dans le lave-vaisselle puis elle est montée chercher draps et serviettes de toilette au premier, en commençant par la grande chambre, celle de la patronne : lit double, déserté depuis beau temps par son mari, coiffeuse, fauteuil crapaud, commode Louis XVI.

Alors qu'elle s'apprêtait à passer dans la salle de bains, son portable a sonné dans la poche de son tablier. Elle l'a sorti. Sur l'écran, le nom d'Evangelos s'affichait. Tiens, qu'est-ce qu'il lui voulait, celui-là ? Depuis qu'elle avait donné sa démission à Édouard Saint Georges, elle n'en avait plus de nouvelles et s'en portait fort bien. Après avoir hésité, elle a décroché.

— Oui ?

— Madame Marthe ? Il est arrivé quelque chose d'affreux, a annoncé le cuisinier d'une voix fiévreuse. On a retrouvé le corps de monsieur Emerick dans la rivière et madame Aude est en garde à vue.

— QUOI ?

Prise de vertige, Marthe s'est assise sur le bord du lit. Le corps du tyran retrouvé ? Elle l'avait tant attendue, cette nouvelle ! Très exactement depuis le 10 avril dernier, la preuve irréfutable qu'on ne le reverrait plus. Mais Aude en garde à vue ?

— Evangelos, explique-toi. D'abord qui te l'a dit ?

— Monsieur Édouard. Il l'a appris hier à la gendarmerie. C'est un pêcheur qui l'a découvert sous un rocher. Pour madame Aude, il paraît qu'elle s'est dénoncée sans qu'on lui demande rien.

Marthe a revu la jeune femme quand elle était venue à L'Héliotrope après sa sortie de l'hôpital. Toutes ces questions qu'elle lui avait posées sur la petite. Comme si elle s'en voulait d'être encore là et pas elle. Pourquoi lui avait-elle caché qu'elle avait tué le tyran ? Comme si Marthe ignorait ce qu'il lui infligeait. Tiens, si elle avait pu, elle s'en serait débarrassée elle-même.

— Madame Marthe... Je ne vous entends plus. Vous êtes là ?

— Je suis là, Evangelos. Écoute, j'ai besoin de réfléchir, je te rappelle.

Elle a raccroché. « Madame Marthe », alors qu'elle avait toujours tutoyé Evangelos et l'appelait par son prénom. Des « madame » et des « messieurs » comme s'il en pleuvait. Pour se dispenser de juger les patrons ?

Elle s'est relevée et elle est allée se poster devant le pêle-mêle de photos au mur. Béatrice bébé, fillette, jeune fille, à tous les âges de sa courte vie, comme si sa mère cherchait à se rattraper de l'avoir si peu, si mal regardée. Entre elles, ça avait toujours été la guerre : des caractères trop différents. Irène rigide et autoritaire, Béatrice tout feu tout flammes, ne pensant qu'à s'amuser. Combien de fois la petite était-elle venue se plaindre à Marthe ! « Marthe, je la déteste, un jour je partirai, tu viendras avec moi ? Elle verra ! »

Et la pauvre mère avait vu. Sa fille tombant dans les bras d'Emerick Saint Georges sans aller regarder ce qui se cachait sous le grand nom à la une de la presse people. Mariée au lendemain de ses 18 ans pour échapper à une prétendue prison, tombant dans un cachot d'où elle ne sortirait plus.

Marthe s'est arrachée aux photos. Aux serviettes de bain elle a ajouté draps et taies et elle a descendu le tout dans la buanderie. Elle étouffait. Elle est ressortie dans le jardin pour rappeler Evangelos. Il a décroché dès la première sonnerie.

— Madame Marthe, enfin !

Se souvenant de son bonheur quand le Patron, avec un grand P, était revenu, elle l'a plaint.

— Pourquoi m'as-tu appelée, Evangelos ? Qu'attends-tu de moi ?

Il s'est raclé la gorge, gêné :

— Je me suis permis de parler de vous à monsieur. Il a déjà engagé un avocat. J'ai pensé que vous auriez des choses à lui raconter sur votre madame Béatrice.

« Votre » madame Béatrice ? Un coup de poignard a traversé le cœur de Marthe.

— Et si je n'avais pas envie de « raconter », Evangelos ? s'est-elle emportée.

— Il y a autre chose, a repris le cuisiner avec difficulté. Madame Aude est enceinte. Pas de monsieur Emerick, bien sûr...

« Bien sûr » ? Pour un peu, Marthe aurait ri. Evangelos qui n'acceptait pas que l'on touche à un seul cheveu d'un Saint Georges, reconnaissant enfin ce que, durant des mois, elle lui avait seriné, en espérant stupidement le faire changer d'avis : en plus du reste, même pas un homme, son monsieur Emerick !

Béatrice le lui avait confié en larmes au début de leur mariage, avant qu'il ne la fasse taire. « Il m'a dit que c'était ma faute, Marthe. Tu le crois ?» Les larmes sont montées.

— Si je vous appelle, c'est aussi que, ce soir, il y a une réunion à L'Héliotrope et que madame Olivia aimerait que vous y assistiez.

La voix s'était faite suppliante :

— Vous savez, monsieur Édouard est très frappé. Vous viendrez ?

— Il n'en est pas question. Et tu demanderas de ma part à ton « môssieur » Édouard ce qu'il faisait quand on a enterré ma Béatrice.

51

Dans la grande armoire à linge, dite « de mariage », ornée de délicates roses en bois sculpté, Marthe a pris deux paires de draps et trois taies – deux pour le lit de madame – et elle est remontée au premier.

« Môssieur » Édouard est très frappé... « Môssieur » aurait mieux fait de contrôler son fils plutôt que de courir se réfugier en Australie chez sa fille, sitôt celui-ci casé. Abandonnant sa belle-fille à un fou dont il connaissait la dangerosité – secret de famille. Ça s'appelait comment, ça ? Lâcheté ? Pourquoi pas « non-assistance à personne en danger » ? Et que, deux années plus tard, deux années seulement, il n'ait même pas eu le courage de venir assister à l'enterrement en avait choqué plus d'un à Grasse. Et rempli de rage le cœur de Marthe.

Elle s'apprêtait à lui écrire pour lui raconter de quelle façon sa bru était partie, lentement assassinée par le fiston, lorsqu'Irène l'en avait empêchée.

— Des preuves, Marthe. Attendons d'avoir des preuves pour l'attaquer.

Et c'était pour les rassembler qu'elle était restée dans la maison haïe.

Cela faisait déjà un certain temps qu'elle récupérait dans la poubelle boîtes et flacons des poisons que le monstre administrait à sa femme. Marthe avait également mis la main sur plusieurs ordonnances traficotées. Sans surprise, sitôt après l'enterrement, Emerick avait tenté de se débarrasser d'elle. Sa tête, quand elle lui avait envoyé que c'était son père qui l'avait engagée et qu'elle n'avait d'ordres à recevoir que de lui ! Voulait-il qu'elle l'appelle ? Elle aurait beaucoup, beaucoup de choses à lui dire. Et, bien sûr, il n'en avait plus parlé, se contentant d'éviter de croiser son chemin.

Après avoir refait le lit de la grande chambre, Marthe s'est attaquée à celle du patron. Lui, un lit étroit, veillé par un crucifix, table et chaise de bois dur, quelques livres, et une seule photo sur le mur, mais qui en disait cent fois plus que toutes celles sur le pêle-mêle de sa femme : Béatrice à 7 ans, tenant la main de son père, levant vers lui un regard heureux, confiant. Ce père qui, pour ne pas avoir cru son épouse lorsqu'elle la disait en danger, l'avait abandonnée à son tortionnaire.

Et puis, Aude était venue.

D'abord, Marthe l'avait détestée. Contre toute logique : la prochaine sur la liste ? Une autre innocente aveuglée par ce qu'elle croyait être de l'amour ? Et elle aurait mieux fait de la mettre en garde, même si Aude aurait probablement refusé de l'écouter, le monstre excellant dans son petit jeu : séduction-culpabilisation.

Et, petit à petit, inexorablement, elle avait pu la voir perdre son entrain, ses couleurs. Les premiers éclats de voix s'étaient fait entendre dans la chambre « Topaze » et, au petit déjeuner, les yeux battus, le teint brouillé de la victime ne montraient que trop bien que son mari s'apprêtait à lui faire subir le sort de Béatrice.

Faute de pouvoir en parler à Irène, que le seul prénom d'Aude suffisait à mettre en fureur, Marthe avait averti Jean-Marie de Menthon, et celui-ci s'était tout de suite engagé à fond. Pas un jour où il ne lui en demandait des nouvelles. Il s'était renseigné sur les Delcourt. Il lui avait même avoué avoir appelé la mère, Marie-Ange, divorcée, qui lui avait ri au nez et demandé de quoi il se mêlait. C'est lorsque Jean-Marie avait fait jurer à Marthe de l'avertir immédiatement si elle pensait Aude en danger qu'elle avait compris qu'il espérait, en la sauvant, se racheter un peu de l'aveuglement dont il avait fait preuve pour sa fille.

Plus âgée que Béatrice et refusant de prendre des médicaments, Aude résistait mieux. Et, peu à peu, Marthe ne pouvait s'empêcher de s'y attacher. Un sacré cran quand même ! Et sous l'apparente docilité, des regards qui en disaient long sur son entêtement à résister. Le jour où elle l'avait vue filer dans la Twingo, à 20 heures passées, profitant d'un court voyage de son mari – jour bientôt suivi par d'autres –, Marthe avait compris qu'elle allait se faire consoler ailleurs. Eh bien tant mieux pour elle, surtout qu'elle ne se gêne pas.

Quant à Evangelos, qui pourtant aimait bien la jeune femme – et réciproquement –, il continuait à se boucher yeux et oreilles sur les traitements qu'elle subissait, même si Marthe ne se privait pas de le bousculer. Il y avait des moments où elle le détestait, lui aussi. Heureusement qu'il s'était gardé de parler à son patron des rondes de la Twingo la nuit, sachant qu'elle l'aurait tué.

Et puis était venue cette nuit qu'elle n'oublierait jamais. Combien de fois s'en est-elle repassé le terrifiant scénario dans sa mémoire.

52

Marthe occupe une chambre sous les toits d'où elle peut percevoir ce qui se passe dans la « Topaze », la suite des époux. Ce soir-là, il est près de 22 heures lorsque des cris la tirent de son lit. Rarement ils ont été aussi violents.

Fidèle à la promesse faite à Jean-Marie de veiller sur Aude, elle se lève et descend se poster devant la porte. « Traînée », « putain », et autres mots doux fusent de l'auguste bouche. Suivis de menaces : « Si tu crois t'en tirer comme ça, tu te mets le doigt dans l'œil, jamais je ne te laisserai partir. » Ce mot, « jamais », ne cesse de revenir et, le pire, ce sont ses rires déments.

Du côté d'Aude, c'est le silence. Depuis le temps, elle a compris qu'il était inutile de se défendre. N'est-ce pas ce que le pervers attend ? Des excuses, des demandes de pardon, des supplications afin de mieux l'humilier ? Marthe hésite. Doit-elle appeler Jean-Marie ? Mais que pourrait-il faire en pleine nuit ? Sans compter que le trajet de Mougins à Grasse prend presque quarante-cinq minutes. Et voilà que, d'un seul coup, les cris s'interrompent, très vite remplacés par les ronflements du tyran qui ne peut s'endormir qu'après s'être administré à lui-même l'un des poisons qu'il versait dans les boissons de Béatrice.

Alors que Marthe s'apprête à regagner sa chambre, la poignée de la porte s'ouvre lentement, très lentement. Elle n'a que le temps de se dissimuler dans un angle du couloir qu'Aude apparaît. En chemise de nuit, cheveux défaits, pieds nus, elle court presque jusqu'à la chambre d'Isabelle Saint Georges qu'Evangelos a pour mission de ne jamais laisser dans l'obscurité : la « crypte », le « mausolée », comme Marthe l'appelle. Outre la clé qu'elle a dû voler à son mari, elle serre une enveloppe dans sa main. Elle entre, laissant la porte entrouverte.

Quelle heure est-il ? Le bref tintement de la pendule dans la chambre « Ambre » indique 23 h 30. Marthe est prête à rester toute la nuit s'il le faut. Imaginez que l'autre se réveille ? Mais non, Aude ressort déjà. Plus d'enveloppe dans sa main, seulement la clé avec laquelle elle referme la porte avant de courir de nouveau vers la « Topaze » où les ronflements se font toujours entendre. Marthe respire. Sauvée.

Lorsque, plus tard, elle se glissera à son tour dans la chambre d'Isabelle Saint Georges, elle remarquera tout de suite que, dans l'ordre maniaque où la tient Evangelos, quelque chose a bougé : le coffret incrusté de coquillages sur la commode. La clé en a disparu. Pour l'ouvrir, il lui faudra en forcer la serrure. Chose faite. L'enveloppe s'y trouve, dissimulée sous les éclats de pierres précieuses. Elle contient une carte portant ces mots : « Ce soir, j'ai annoncé à mon mari mon intention de le quitter. Si vous trouvez ce message et que je ne suis plus là, c'est que j'aurai subi le sort de Béatrice. » Tout s'éclaire.

Le lendemain matin, face au visage dur, déterminé d'Emerick, Marthe appellera Jean-Marie pour lui raconter les événements de la nuit : elle redoute que quelque chose de grave ne se produise, pourrait-il venir et rester à proximité de la maison au cas où ? Appel réitéré un peu plus tard lorsque Emerick poussera brutalement Aude dans la Mercedes sans dire où il va ni s'ils rentreront déjeuner.

Elle n'en aura plus de nouvelles qu'en fin d'après-midi lorsque les gendarmes débarqueront à L'Héliotrope et leur annonceront, à Evangelos et à elle, la disparition d'Emerick Saint Georges et l'hospitalisation de sa femme.

Marthe a refermé la porte de Jean-Marie de Menthon et elle est descendue ajouter draps, taies et serviettes de toilette dans la machine : poudre de lavage, liquide adoucissant, programme 90°. C'était parti.

Elle est retournée dans le jardin. Branchettes et feuilles dans l'allée témoignaient de la tempête passée. Il lui faudrait sortir le râteau. Elle s'est assise devant la table, repoussant machinalement du revers de la main quelques miettes de pain bis.

Le corps retrouvé, Aude en garde à vue, Aude enceinte. Bien sûr, elle ne dirait rien de l'appel d'Evangelos à Irène qui serait bien capable de se précipiter là-bas et jeter à la face d'Édouard toute la haine accumulée en elle depuis des années.

À Jean-Marie, elle devait la vérité.

Elle a sorti son portable. Comment se faisait-il que ses doigts tremblent tant en formant son numéro ? Pourquoi cette peur ?

Il a décroché aussitôt.

— Marthe ?

— Monsieur, il faut que nous nous voyions. Il y a du nouveau.

53

Alors qu'à L'Héliotrope le jardinier faisait du propre dans les rosiers, Olivia est venue le saluer. Elle lui a demandé de remplacer les nombreux buissons de lys, tous ici s'en étant lassés, par des fleurs plus gaies, si possible de couleurs vives.

Il pense à la santoline, jaune or, au rudbeckia pourpre, pourquoi pas à la toute simple et flamboyante tulipe rouge ? Toutes espèces que l'on plante à l'automne. Il a largement le temps d'y réfléchir : juillet s'achève seulement.

Comme il se rafraîchissait à la cuisine, Evangelos lui a appris qu'il y avait ce soir réception au château, aussi a-t-il, avant de partir, soigneusement ratissé les allées, encouragé par le chant des oiseaux.

Dès 17 h 30, Evangelos et Lucie ont préparé un buffet-apéritif sur la grande console du salon. Quelques boissons alcoolisées ou non, un assortiment de biscuits salés, des tomates cerise et d'onctueuses olives noires. Madame Olivia a dit que chacun se servirait lui-même. Lorsqu'Evangelos lui a fait savoir que Marthe avait décliné son invitation, elle s'est mise en colère : un cœur dur, la gouvernante, elle l'avait vu tout de suite : ces lèvres pincées, ce

246

chignon serré comme un poing, ce regard hautain.
Eh bien, on s'en passerait !

Maître Wangler est arrivé avec vingt minutes
d'avance dans sa décapotable et il s'est enfermé
avec Édouard dans le bureau. La soixantaine, cou
de taureau, lunettes perchées sur le front, crinière
blanche. Avocat redouté dans les prétoires. La noto-
riété ne l'empêche pas de s'occuper des malheureux
qui font appel à lui, en dernier recours, pour des
problèmes divers. « Aucune cause n'est désespérée »,
affirme-t-il, et il ne cache pas que c'est ce travail,
plus varié, la plupart du temps accompli gracieuse-
ment, qui l'intéresse le plus.

À 18 heures pile, les parents d'Aude se sont
annoncés. Hervé Delcourt, très ému, s'est mis à la
disposition d'Édouard Saint Georges pour l'aider à
obtenir, le plus rapidement possible, la libération
de sa fille.

— Rassurez-vous, ce sera fait de main de maître,
a répondu celui-ci en lui présentant l'avocat.

Olivia partageait un kir royal avec Marie-Ange
quand les « motards », Basile et Rémi ont débarqué.
Pour eux : Coca-vodka. Ne manquait que le docteur Madelin. En l'attendant, le buffet a été honoré.

Il est arrivé en taxi avec plus de trente minutes
de retard : « Un patient », a-t-il soupiré. Le métier de
généraliste, qui plus est conventionné, n'intéresse
plus les jeunes. À 72 ans, il exerce encore : personne pour reprendre son cabinet. Et tout ça pour
gagner quoi ? Il affirme être trop vieux pour faire
grève, on le soupçonne plutôt de vouloir mourir en
scène, son stéthoscope à l'oreille.

Il a accepté un jus de fruits, tout le monde s'est
assis et Wangler a pris la parole.

Ce matin, il avait rencontré Aude à la gendarmerie. Elle l'avait chargé de dire à tous qu'elle pensait très fort à eux et qu'ils ne devaient surtout pas s'inquiéter pour elle : ça allait.

Il s'est interrompu pour laisser passer l'émotion puis il s'est tourné vers Marie-Ange.

— Si je peux me permettre, madame, une sacrée tête de mule, votre fille !

— Alors ça oui ! Et c'est rien de le dire, a répliqué celle-ci du tac au tac. Et un rire couru.

Et un rire a couru.

L'avocat s'est expliqué. Alors qu'il s'attendait à trouver une malheureuse dans tous ses états, Aude était parfaitement calme. D'emblée, elle avait revendiqué son acte : oui, elle avait bien tué son mari, en toute connaissance de cause, et elle ne regrettait rien.

— Comme je tentais de lui expliquer que, devant le juge, elle aurait intérêt à modérer son discours et que le « en toute connaissance de cause » ne s'imposait pas, elle m'a répondu qu'elle n'était pas certaine d'y parvenir.

— Elle a toujours été comme ça, franche et entière ! a clamé cette fois Marie-Ange non sans fierté.

— Bien d'accord ! a renchéri Olivia.

Et c'est tout juste si les deux femmes n'ont pas claqué leurs mains en signe d'alliance.

Wangler n'a pu s'empêcher de sourire, imité par le reste de l'assemblée. Seul le visage d'Édouard restait sombre.

— Si je suis là, a repris l'avocat, c'est dans l'espoir que vos témoignages m'aideront à obtenir les circonstances atténuantes dont nous savons tous que ma cliente les mérite amplement. Je vous écoute.

Rémi s'est levé.

— Quelque temps avant la disparition de son mari, Aude est venue me voir à Nice. Elle était complètement paniquée. Elle m'a parlé des traitements indignes qu'il lui infligeait, sa folle jalousie. Elle redoutait qu'il ne l'enferme comme il l'avait fait avec Béatrice, sa première femme. Elle m'a également révélé son impuissance, a-t-il ajouté.

Il a tiré une enveloppe de sa poche et l'a tendue à l'avocat :

— Ceci devrait vous intéresser.

Wangler a retiré une carte de l'enveloppe, il a baissé ses lunettes sur son nez et parcouru rapidement ce qui y était inscrit avant de le lire à voix haute : « Ce soir, j'ai annoncé à mon mari mon intention de le quitter. Si vous trouvez ce message et que je ne suis plus là, c'est que j'aurai subi le sort de Béatrice. »

Un lourd silence est tombé. Le visage d'Édouard s'était encore assombri. Evangelos a détourné les yeux.

— D'où tenez-vous cette carte ? a demandé l'avocat à Rémi.

— Quelques heures avant le drame, Aude l'avait cachée dans la chambre de sa belle-mère. Elle l'y a reprise après sa sortie de l'hôpital et m'a demandé de la garder chez moi. Elle avait l'intention de la détruire mais n'arrivait pas à s'y résoudre.

— Grâce au Ciel ! s'est exclamé Wangler. Nous avons là la triste preuve qu'elle pensait son mari capable d'attenter à sa vie. Je peux la garder ?

— Bien sûr, a répondu Rémi.

Alors qu'il regagnait son siège, Basile a levé la main.

— Moi, je voudrais parler de Béatrice, la première femme d'Emerick, dont le nom est cité sur la carte, a-t-il dit avec force. Aude s'était passionnément attachée à elle. Elle l'appelait sa « petite sœur d'infortune » et m'avait demandé de lui donner tous les articles parus après sa mort. Vous pourrez y lire qu'Irène de Menthon, la mère de la victime, ne se privait pas d'accuser son gendre de l'avoir assassinée. Ils sont à votre disposition.

— Merci, a répondu Wangler.

Il a tapoté la serviette en cuir posée contre son fauteuil :

— Édouard vient justement de me remettre un dossier sur le sujet. J'ai l'intention de m'y plonger dès ce soir.

Il s'est tourné vers le docteur Madelin, jusque-là silencieux, le visage indéchiffrable.

— Docteur, vous avez été durant de nombreuses années le médecin de la famille Saint Georges. Vous avez soigné Isabelle, la femme de notre ami Édouard tout au long de sa maladie. Pourriez-vous nous dire quelques mots de la relation très particulière qu'elle entretenait avec son fils ?

Le médecin a d'abord décrit Emerick enfant : un petit garçon solitaire, replié sur lui-même, certes intelligent mais n'ayant que sa mère pour seul horizon. Il a décrit l'ascendant qu'au fil des années il prenait sur elle, la sorte d'enfermement dans lequel il la tenait et sa tendance à abuser des médicaments qu'il lui prescrivait.

Il s'est tourné vers Édouard :

— Nous en avons souvent parlé ensemble, ainsi que d'Olivia qui supportait mal la situation. Malheureusement...

D'un coup, Édouard a été debout.

— Malheureusement, je ne vous ai écoutés ni l'un ni l'autre. Je n'ai rien fait et mon fils a tué sa mère, il a tué Béatrice, il a tenté de faire de même avec Aude. Tandis qu'en Australie je m'efforçais lâchement de n'y pas trop penser.

La voix était emplie d'une telle détresse que tous les souffles se sont suspendus. Olivia s'apprêtait à protester quand, à la surprise générale, Evangelos s'est levé à son tour. Il s'est tourné vers son patron.

— Monsieur, je veux vous dire que vous n'auriez rien pu faire pour madame Béatrice. Durant les dernières semaines, seul monsieur Emerick avait le droit de la voir.

Cette fois, les regards se sont tous tournés vers le vieux cuisinier au visage couturé de rides, qui s'efforçait en vain de cacher son émotion.

— Voulez-vous dire, Evangelos, qu'Emerick Saint Georges maintenait sa femme prisonnière ? a demandé l'avocat le plus doucement possible.

— C'est ça, monsieur. Personne n'avait le droit d'entrer dans sa chambre et lui seul en avait la clé.

Il a avalé sa salive avec difficulté avant de reprendre :

— Si madame Marthe était là, elle vous aurait raconté qu'avec madame de Menthon elles avaient décidé d'enlever de force la « petite », comme elle l'appelait. Hélas, monsieur de Menthon s'y est opposé.

Sa voix s'est brisée et il est retombé sur son siège, Olivia a pris sa main.

— Nous vous remercions tous, Evangelos, a dit simplement l'avocat.

Il a repris la parole. Il s'était procuré le nom du juge qui statuerait dans trois jours sur le sort d'Aude. Un dur à cuire, vieille école, à cheval sur ses principes et qui ne transigeait pas avec la morale. Si Aude persistait à revendiquer son acte et affirmer son absence de remords, sa tâche n'en serait pas facilitée. Sans compter que le fait d'être enceinte d'un autre que de son mari ne plaiderait pas en sa faveur.

Il s'est interrompu et a adressé à tous un grand sourire tranquille. « Trop tranquille ? », s'est demandé Rémi.

— Je dois la revoir demain matin et tenterai de l'amener à une attitude plus conciliante. Et je ne doute pas que, tôt ou tard, grâce à vos témoignages, nous aurons le bonheur de la revoir ici.

Il a retiré ses lunettes et les a remises dans leur étui : séance terminée. Tous se sont levés. « Tôt ou tard », ces mots indiquant que la bataille serait plus difficile qu'ils ne l'avaient prévu, tournaient dans la tête des convives tandis qu'ils se dirigeaient vers le buffet derrière lequel Evangelos, le visage inexpressif comme il se doit, a tenu à faire le service.

54

Non, jamais Aude n'aurait cru qu'un avocat pût avoir cette dégaine-là : un gentil taureau s'apprêtant à foncer dans l'arène. Et cravate et souliers cirés n'y changeaient rien, les picadors brandissaient leurs piques, le torero déployait sa cape rouge, le public réclamait du sang. La seule différence avec maître Wangler était que, paraissait-il, le taureau l'emportait toujours.

Comme la veille, il l'attendait dans une petite pièce ensoleillée, sa serviette de cuir contre son siège et, sous les épais sourcils, des yeux pleins de gentillesse. Ils ont pris place de part et d'autre de la table et lorsqu'il a poussé devant elle l'enveloppe-SOS, une grosse boule est montée dans sa gorge.

— Rémi ?

— Espérant que cela pourrait nous aider. Il a eu tort ?

Elle a secoué négativement la tête. Rémi, son Rémi, il lui manquait tellement.

— Votre « Si vous trouvez ce message et que je ne suis plus là », en indiquant clairement votre certitude que votre mari serait capable de vous tuer, pourrait tout changer. Vous confirmez ?

— Certains matins, je m'étonnais d'être encore en vie.

Maître Wangler lui a raconté la soirée de la veille, tous n'ayant qu'un seul et même désir : la voir sortir de là au plus vite. Y compris le brave Evangelos qui en avait oublié sa réserve habituelle. Quand il lui a répété les mots de sa mère, applaudie par Olivia, Aude n'a pu s'empêcher de sourire. Moins lorsqu'il lui a dit combien Édouard, dévasté par le remords, se faisait du souci pour elle. Pauvre Édouard, si droit et généreux !

Elle a lancé un regard vers la fenêtre : ciel bleu, soleil. Bien sûr, elle avait hâte de « sortir de là » et les rassurer tous. Mais, pour autant, elle ne regrettait pas de s'être dénoncée. Si elle ne l'avait fait, elle aurait gardé en elle l'ombre de son geste meurtrier. À tout moment, elle aurait pu surgir, brouiller ses paroles, ses sourires, entacher son comportement avec sa fille. Les enfants sentent instinctivement lorsque leurs parents leur cachent quelque chose d'important, cela les rend frileux, les empêche de pousser droit. Au moins offrirait-elle à son Olivia une mère au clair avec elle-même.

Quand Wangler lui a appris que Marthe avait décliné l'invitation à assister à la réunion, elle a été déçue. Il lui avait semblé que la gouvernante l'aimait bien. Lui en voulait-elle d'avoir gardé le silence lorsqu'elle était venue la voir à L'Héliotrope ? Elle se souvenait d'avoir été sur le point de parler. Aurait-elle dû ?

— Sur cette carte, vous évoquez la première femme de votre mari : Béatrice. Cela vous ennuierait-il que nous en parlions ? a demandé l'avocat.

— Il l'a tuée, s'est-elle entendue constater d'une grosse voix. Elle n'a pas eu la force de lui résister.

Dis, t'en souviendras-tu ?

Aude revoyait la photo de la jeune femme diaphane aux longues boucles blondes, presque une enfant, tandis qu'elle ouvrait le coffret et glissait l'enveloppe sous les éclats de pierres. « Votre message pourrait tout changer », venait de lui dire Wangler. Ironie de la vie, serait-ce sa « petite sœur d'infortune » qui la sauverait ?

— Votre frère m'a appris que vous vous intéressiez passionnément à elle, a repris l'avocat. Ce sont ses mots.

— J'avais besoin de comprendre pourquoi je m'en étais sortie et pas elle. Elle était si jeune, si jolie. Je trouvais ça tellement injuste.

Aude a eu un rire cassé :

— Savez-vous que j'ai mené une véritable enquête sur elle ?

— Une enquête ?

— J'ai demandé à Basile de me procurer tous les articles parus dans la presse après sa mort. Je voulais rencontrer son père, Jean-Marie de Menthon, pour qu'il me parle d'elle, mais ne savais comment le joindre. Et puis l'idée m'est venue de m'adresser au curé de l'église de Mougins qui l'avait baptisée, puis mariée.

— Et ça a marché ?

— Oui. Il m'a reçue dans la sacristie. Figurez-vous qu'il m'a dit qu'il avait prié pour moi, comme s'il me connaissait... Alors, je lui ai confessé ce que j'avais fait.

— Et ?

— Il ne m'a pas crue. Je me souviens de ses mots : « Cela ne se peut. »

Wangler a griffonné quelque chose sur le carnet à spirales, posé devant lui.

— Attendez ! Vous n'allez pas l'interroger, quand même ? s'est-elle inquiétée. C'est un vieux monsieur fragile.

— Je vous promets de ne le faire qu'avec votre autorisation, l'a rassurée l'avocat. Et il vous a mis en contact avec le père de Béatrice ?

— Ça n'a pas été facile, mais oui.

Aude a raconté comment Jean-Marie de Menthon l'avait emmenée dans le parc de la Valmosque, puis à la chapelle des Anges. Il avait répondu à toutes ses questions concernant sa fille, ajoutant qu'il ne se pardonnerait jamais d'avoir empêché sa femme de la soustraire à Emerick.

— Quand je lui ai dit l'avoir poussé dans le ravin à La Croix Notre-Dame, lui m'a répondu, le plus tranquillement du monde : « Rassurez-vous, vous ne pouvez avoir accompli un tel geste. » Finalement, seul Rémi m'a crue, a-t-elle constaté sombrement.

— Aujourd'hui, moi je vous crois et votre famille également, lui a fait remarquer l'avocat.

Il a retiré ses lunettes et les a levées vers un rayon de soleil pour en nettoyer les verres. Un bref éclair a jailli. Aude s'est figée. Cet éclair sur la monture métallique, elle s'était souvent demandé où elle l'avait vu. Elle venait de s'en souvenir.

À La Croix Notre-Dame, le dimanche 10 avril, tandis que sonnaient les douze coups de midi.

55

Ce dimanche matin du 10 avril, alors que Jean-Marie s'apprêtait à partir pour son cabinet d'expert en assurances, son portable avait sonné : Marthe, une voix étouffée.

— Monsieur, la nuit a été mauvaise. Je serais plus tranquille si je vous savais dans les parages.

Le temps de sortir sa Volvo du garage, le père de Béatrice fonçait à Grasse.

Alors qu'il arrivait en vue de la maison, la gouvernante l'avait rappelé, cette fois affolée : Emerick s'apprêtait à sortir avec sa femme. Au petit déjeuner, il avait à peine mangé et son visage était à faire peur. Elle ignorait où il se rendait, pourrait-il tenter de le suivre ?

Quelques minutes plus tard, la Mercedes passait les grilles de L'Héliotrope et Jean-Marie démarrait derrière elle. Emerick ne connaissait pas la marque de sa voiture, ils ne s'étaient pas vus depuis des années, aucun risque d'être repéré.

Lorsqu'Emerick avait pris la route de Gourdon, son cœur s'était serré : la ville natale d'Isabelle Saint Georges, emportée par une dépression après des années de souffrance. Cette mère à laquelle, selon Irène, Emerick était maladivement attaché : la raison de sa folie. Mais avant d'arriver au

257

village, il avait brusquement bifurqué en direction de La Croix Notre-Dame, un ancien lieu de pèlerinage surplombant la vallée du Loup. La route malaisée, le site réputé dangereux, avaient découragé les touristes, et seuls quelques randonneurs s'y aventuraient aujourd'hui.

Jean-Marie avait arrêté sa voiture peu avant d'atteindre le sommet et fait le reste du chemin à pied.

Lorsqu'il arrive près de la lourde croix de pierre, la Mercedes est vide, portières avant grandes ouvertes. Près du muret délabré qui protégeait autrefois les imprudents du précipice, Emerick, pantalon aux mollets, lutte avec Aude. Au loin, comme un glas, s'égrènent les douze coups de midi. Jean-Marie s'élance pour les séparer.

Mais voilà que la jeune femme parvient à se libérer et s'enfuit. Un instant déstabilisé, Emerick se redresse, remonte son pantalon et s'apprête à repartir à l'attaque, une telle expression meurtrière sur le visage que Jean-Marie n'hésite pas une seconde : il l'envoie valdinguer par-dessus le muret. Sous l'effet de la surprise, l'adversaire n'a même pas tenté de résister.

Quand il se retourne, Aude est étendue, inanimée, sur le sol. Le cœur battant, Jean-Marie s'assure qu'elle respire. Il lui semble même que, durant quelques secondes, elle a entrouvert les yeux. Rassuré, il s'apprête à composer le 18 lorsque, montant du sentier jadis emprunté par les pèlerins, lui parviennent des chants et des rires. Il se redresse. Ne va-t-on pas croire que c'est lui, l'agresseur de la jeune femme ? Quoi qu'il advienne, Aude est sauvée. Il court jusqu'à sa voiture et, comme il y parvient, les rires se sont transformés en cris. Il attendra pour démarrer d'entendre, au loin, les sirènes des pompiers.

Sur la route qui le ramène à Mougins, il se sent parfaitement calme. Il n'a fait que son devoir d'homme, de père. Enfin !

56

Ce samedi matin de fin juillet, après s'être habillé et soigneusement rasé, Jean-Marie de Menthon a jeté dans un sac une chemise, un caleçon et des chaussettes de rechange. Il y a ajouté sa trousse de toilette et un livre du poète Charles Péguy où il avait trouvé cette citation, écrite pour lui par le visionnaire : « De toutes les peurs, la plus honteuse est certainement la peur du ridicule. » Celle du qu'en-dira-t-on qui l'avait empêché d'agir pour sauver sa fille.

Un instant, il a été tenté de prendre la photo de celle-ci, fixée au mur de sa chambre. Mais à l'idée qu'elle pourrait lui être confisquée et disparaître dans les pages poussiéreuses d'un dossier, il y a renoncé et s'est contenté de la caresser du bout des doigts, comme il le faisait depuis des années : « Bonjour, ma chérie. »

Il était prêt à partir pour son rendez-vous avec le père Pierson. La veille, après avoir rencontré Marthe et entendu son récit, Jean-Marie s'était contenté de la remercier d'avoir si fidèlement tenu sa promesse. Puis, sans lui en dire davantage, il s'était rendu à son cabinet d'expert où il ne travaillait plus qu'à mi-temps et il avait longuement parlé avec son associé. Il allait devoir s'absenter durant quelque temps pour raisons familiales et ignorait quand il rentrerait. Il comptait sur lui pour s'occuper de la poignée de clients qu'il avait gardés. Si la charge se révélait trop lourde, il n'aurait qu'à embaucher quelqu'un. Jérôme Salmon était l'homme le plus discret du monde. Il ne lui avait demandé aucune explication mais, au moment de le quitter, il lui avait serré fortement la main et, dans son regard, il avait semblé à Jean-Marie y lire le nom de sa fille.

10 heures, Irène chez son coiffeur, Marthe au marché. Jean-Marie a empoigné son sac et refermé la porte de la maison, laissant quelques secondes sa main sur le bois tiède : elle, elle l'attendrait. Le ciel était limpide, une lumière tendre caressait les vieilles pierres de Mougins : une belle journée en perspective. Tandis qu'il montait sans hâte la ruelle qui menait à l'église, il a croisé un couple d'amis.

— Alors, Jean-Marie, on s'apprête à partir en vacances ? a constaté joyeusement la femme en désignant son sac.

— Il semblerait, s'est-il contenté de répondre.

Sa mère, très croyante, aurait parlé de « mensonge pieux ».

Le père Pierson l'attendait à la sacristie. Même si la messe était terminée, il portait encore l'aube et la chasuble, vêtements liturgiques censés rappeler à tous qu'il parlait au nom du Christ. Jean-Marie s'est demandé si c'était un hasard.

Le prêtre était le seul à qui il avait confié ce qu'il avait fait, le 10 avril dernier, à La Croix Notre-Dame. Si Jean-Marie s'en était abstenu avec sa femme, c'est qu'il savait qu'en apprenant qu'il s'était intéressé à Aude, elle aurait refusé de l'entendre. Quant à Marthe, pourquoi lui faire courir le risque d'être un jour – qui sait ? – accusée de complicité pour l'avoir tenu au courant des faits et gestes d'Emerick Saint Georges ?

Assis à côté du prêtre sur une chaise paillée, il lui a répété ce que la gouvernante lui avait appris la veille : le corps retrouvé et Aude en garde à vue.

Le père Pierson a observé un court silence, yeux fermés, mains croisées, priant ? Puis il s'est redressé et il a posé un regard bienveillant sur Jean-Marie.

— Je pense que vous vous sentez soulagé.

— Ma conscience l'est et je ne me suis pas senti mieux depuis des mois.

— Vous n'avez jamais fui. Il arrive seulement que Jésus se souvienne de nous.

Qu'il nous attende au tournant ?

— J'ai un service à vous demander, a repris Jean-Marie. Un grand. Parler à ma femme. Comme vous le savez, elle n'est au courant de rien. Vous, elle vous écoutera jusqu'au bout.

— Avez-vous pensé qu'elle pourrait se sentir coupable de l'acte que vous avez commis, par une attitude, disons... peu charitable ?

— Vous voudrez bien lui répondre que, si j'ai agi, c'était aussi pour sauver une autre vie.

— Je lui parlerai dès ce soir afin qu'elle ne s'inquiète pas trop de ne pas vous voir rentrer, a promis le père Pierson.

— Voilà un certain temps que ma femme ne s'inquiète plus pour moi, a constaté tristement Jean-Marie.

Douze coups ont sonné au clocher : déjà ? Le taxi devait l'attendre. Jean-Marie s'est levé, imité par le prêtre. Alors qu'ils arrivaient à la porte de la sacristie, celui-ci a tracé une croix sur son front.

— Allez en paix, mon fils.

Dis, t'en souviendras-tu ?

Il était près de midi lorsque le taxi l'a déposé devant la gendarmerie mobile de Grasse. Avant d'entrer, il s'est retourné et il a regardé le ciel bleu traversé par la ligne argentée d'un avion, la rue paisible, le chien qui s'étirait paresseusement sur le seuil d'une maison. La vie pouvait être si belle malgré tout.

Une femme en uniforme se tenait à l'accueil.

— Vous désirez, monsieur ?

— Je voudrais voir l'adjudant Fortin, s'il vous plaît. J'ai une déposition à lui faire.

57

Bientôt l'automne, la saison préférée d'Aude, celle où les arbres lancent de flamboyants adieux à un ciel qui, chaque jour, pâlit davantage après avoir tout donné.

Lorsqu'elle était petite, pour elle l'année ne commençait pas le 1er janvier mais en septembre avec la rentrée des classes, son papa qui l'accompagnait chaque matin à l'école en lui racontant des histoires qui se terminaient toujours bien et les amies qu'elle y retrouvait et aimait à considérer comme les sœurs qu'elle réclamait en vain à sa mère.

Voilà déjà une quinzaine que les Australiens sont repartis. Ils reviendront – promis – pour le baptême d'Olivia et, d'ici là, Aude aura fort à faire.

Quand elle a parlé à Édouard de son projet de créer une association au service des enfants en difficulté, dont le siège serait à L'Héliotrope, il lui a tout de suite donné son accord. Voyait-il comme elle un petit garçon aux jambes de faucheux, prisonnier de lui-même sans que nul parvienne à l'aider ? Pour atteindre son but, de nombreuses démarches et paperasses à remplir seront nécessaires. Ernest Desombre, le banquier d'Édouard, a accepté avec joie de la seconder.

Dis, t'en souviendras-tu ?

Aude rêve d'organiser pour les petits des activités dans le parc. Pourquoi pas en abriter quelques-uns pour de courts séjours dans la maison ? La seule idée d'entendre des cris joyeux et des rires dans ce lieu baigné par tant de larmes, obscurci par tant de drames, lui procure un bonheur profond.

Édouard, Olivia et Mathilde seront membres de l'association qui portera le nom de Béatrice : une surprise qu'elle réserve à Jean-Marie de Menthon.

Voilà maintenant trois semaines qu'il est à la maison d'arrêt de Grasse, en attente de son jugement. À ce propos, l'adjudant Fortin n'est pas près d'oublier le jour où le grand monsieur est venu très dignement se constituer prisonnier, s'accusant de la mort de son gendre. Quelques heures plus tard débarquait sa femme, exigeant d'être, elle aussi, mise en cellule, affirmant avoir poussé son mari à accomplir son geste en le rendant responsable de la mort de leur fille. Tout cela alors qu'il s'apprêtait à partir enfin en vacances.

Le bon côté de la chose est que la presse, alertée par Basile, en a profité pour ressortir tout ce qui s'était dit, trois années auparavant, sur le sujet. Ça a fait un foin terrible et, selon Wangler, chargé par Édouard de défendre Jean-Marie de Menthon, cela devrait aider grandement à une prochaine libération.

Dès celle-ci obtenue, Aude a l'intention de lui demander d'être membre d'honneur de son association. Au cas où son bref séjour derrière les barreaux serait un obstacle, elle refera appel au taureau. Ne le dit-on pas toujours vainqueur dans l'arène ?

Mardi 10 septembre. Cet après-midi, Aude a rendez-vous avec le docteur Armand après plus de quatre semaines de silence. Pour lui, les vacances, pour elle, la tempête. Lorsqu'elle l'a appelé, même s'il était forcément au courant de ce qu'elle a vécu, il n'a rien dit. Juste un désespérément banal « Content de vous revoir ». « Content », même pas « heureux ». C'est lui !

Elle a fait le trajet de Nice à Grasse dans la Twingo. Depuis qu'elle y est installée complètement avec Rémi, elle s'en sert presque quotidiennement. Édouard insistait pour lui offrir une voiture neuve, elle a refusé. Chaque fois qu'elle prend le volant, légèrement terni, dans ses mains, elle se revoit, roulant vers Rémi, son sauveur, son abri. Basile l'accuse d'être masochiste, elle rétorque que c'est pour mieux savourer son bonheur d'aujourd'hui

Et si elle est arrivée en avance dans sa ville natale, c'est en quelque sorte pour faire un pèlerinage sur les lieux qui l'ont menée à ce bonheur. Passant près de la rue Kalin – avec un K –, elle a souri en pensant à Marie-Ange qui l'appelle un peu trop souvent et se plaint d'être abandonnée. Pas très loin, guère plus de dix minutes à pied, on peut voir l'immeuble de son père, vue sur l'ami Fragonard. Lui, ne se plaint jamais, mais son regard s'illumine lorsqu'Aude vient le chercher : « Un petit tour du côté de la Princesse Pauline, papa ? »

Traversant la place des Aires, envahie par les touristes, Aude s'est arrêtée quelques secondes près du Café Antoine. Un après-midi, affolée, elle y avait retrouvé Mathilde. Deux petites barres sur un test de grossesse venaient de lui apprendre qu'elle était enceinte : un enfant d'Emerick ? La gentille Mathilde l'avait réconfortée et recommandée au docteur Prévost. Tout cela autour de deux cafés avec des carrés de chocolat enveloppés de papier doré.

Dis, t'en souviendras-tu ?

Un peu plus loin, c'était Chez Laurent que Basile lui avait donné rendez-vous à son retour d'Égypte. Lui avait commandé deux Coca-vodka et un bol de chips. Elle était encore brouillée avec sa mémoire et Rémi – « son » Rémi, comme disait sa mère – n'était qu'une voix dans le brouillard : « Oh, mon cœur, de toutes mes forces, je pense à toi. » Lorsque Basile lui avait montré la photo de celui qu'il considérait comme un frère, un long frisson l'avait parcourue, sa main était venue se poser sur son ventre, et si...

Et un soir de solitude, elle était entrée dans ce bistrot où le patron, ému par sa détresse, lui avait offert un verre de vin blanc qu'elle avait vidé d'un trait, tant pis ! Sur cette place, témoin de tant de moments importants dans sa vie, comme elle aimerait pouvoir afficher partout des *ex-voto*, en signe de reconnaissance, comme dans la chapelle des Anges.

Mais la voilà déjà rue de l'Oratoire. Un peu plus loin, cet immeuble étroit – un seul appartement par étage – est celui du docteur Armand. Dans sa poche, elle sent le poids léger des cartes de visite où il notait leurs rendez-vous. Elle est certaine de ne pas les avoir jetées. Où peut-elle les avoir cachées ? Il arrive que l'on cache un peu trop bien ce que l'on n'est pas certain de vouloir retrouver.

Elle pousse la porte cochère. Au rez-de-chaussée, quelqu'un joue du piano. Au premier flottent des odeurs de repas. Ici, rien n'a changé : qu'est-ce que quatre semaines pour le commun des mortels ? Au moment d'appuyer sur le bouton de la sonnette, elle caresse du bout des doigts le double prénom sur la plaque dorée : Étienne Armand. Reviendra-t-elle ? Quand elle sortira, dans très exactement soixante minutes, ne se seront-ils pas, cette fois, tout dit ?

— Bonjour Aude, entrez.

Il porte une chemise claire qui fait ressortir son bronzage et le vert-bleu de ses yeux. Il est beau, il est solide, il est tout simplement merveilleux, et l'idée de mourir sans le lui avoir dit la trouble un peu.

Elle le précède dans son bureau et prend place dans le fauteuil, un peu à l'écart, où elle se sentait protégée. De quoi ? De qui ? D'elle-même et de la tempête qui s'annonçait ? Qu'elle sentait venir ? Sur le plateau, les deux verres sont remplis.

Lors de leur dernière rencontre, elle avait déclaré au médecin qu'il lui semblait vivre un conte de fées et il avait répondu : « À confirmer. » C'est fait ! Les contes de fées existent bien, sinon que, dans son cas, on devrait plutôt parler de « contes de bons génies », même si ça sonne bizarre. Rémi, Édouard, Hervé, Basile, Étienne Armand, Ernest, Jean-Marie, le père Pierson, n'en jetez plus ! Si, Evangelos. Dire qu'elle allait l'oublier alors que c'est lui, en appelant Marthe – qui elle-même appellerait Jean-Marie –, qui a déclenché le processus de sa libération. Oui, autant de bons génies. Alors, cessons de ne parler que des mauvais.

Le docteur Armand regarde le collier d'ambre que Rémi a fermé il y a quelques heures autour de son cou, avant de poser ses lèvres sur sa nuque et lui promettre de recommencer soir et matin jusqu'à la fin du monde.

— Alors, demande-t-il. Comment vous sentez-vous ?

Aude sourit.

Suite du même auteur

Charlotte et Millie, Robert Laffont, 2001 ; Pocket, 2003.

Marie-Tempête, Robert Laffont, 2000 ; Éditions de la Seine, 2002 ; Pocket, 1999.

La Maison des enfants, Robert Laffont, 2000 ; Pocket, 2001.

Toi, mon pacha (*Belle-grand-mère*, vol. 3), Fayard, 1999 ; Le Livre de Poche, 2008.

Bébé couple, Fayard, 1997 ; Le Livre de Poche, 1998.

Trois Femmes et un empereur, Fixot, 1997.

Boléro, Fayard, 1995 ; Le Livre de Poche, 1996.

Chez Babouchka (*Belle-grand-mère*, vol. 2), Fayard, 1994 ; Le Livre de Poche, 2008.

Belle-grand-mère, vol. 1, Fayard, 1993 ; Le Livre de Poche, 2008.

Une grande petite fille, Fayard, 1992 ; Le Livre de Poche, 2009.

Cris du cœur, Albin Michel, 1991 ; Le Livre de Poche, 1994.

L'Amour, Béatrice, Fayard, 1990 ; Le Livre de Poche, 1992.

La Reconquête, Fayard, 1989 ; Le Livre de Poche, 2007.

Les Pommes d'or (*Croisière*, vol. 2), Fayard, 1988 ; Le Livre de Poche, 2004.

Croisière, vol. 1, Fayard, 1987 ; Le Livre de Poche, 1989.

Vous verrez... vous m'aimerez, Plon, 1987 ; Le Livre de Poche, 1988.

Une femme réconciliée, Fayard, 1985 ; Le Livre de Poche, 2007.

Cécile et son amour (*L'Esprit de famille*, vol. 6), Fayard, 1984 ; Le Livre de Poche, 2007.

Cécile, la poison (*L'Esprit de famille*, vol. 5), Fayard,

1984 ; Le Livre de Poche, 2008.

Rendez-vous avec mon fils, Fayard, 1982 ; Le Livre de Poche, 2007.

Moi, Pauline (*L'Esprit de famille*, vol. 4), Fayard, 1981 ; Le Livre de Poche, 2009.

Une femme neuve, Fayard, 1980 ; Le Livre de Poche, 2010.

Claire et le bonheur (*L'Esprit de famille*, vol. 3), Fayard, 1979 ; Le Livre de Poche, 2008.

L'Avenir de Bernadette (*L'Esprit de famille*, vol. 2), Fayard, 1978 ; Le Livre de Poche, 2008.

L'Esprit de famille, vol. 1, Fayard, 1977 ; Le Livre de Poche, 2008.

Pour en savoir plus
sur les Éditions Plon
(catalogue, auteurs, vidéos, actualités…),
vous pouvez consulter notre site Internet
www.plon.fr
et nous suivre sur les réseaux sociaux

 Editions Plon

 @EditionsPlon

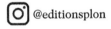 @editionsplon

Cet ouvrage a été achevé d'imprimer sur Roto-Page
par l'Imprimerie Floch à Mayenne en février 2018
N° d'impression : 92324
Imprimé en France